ATLANTE della storia

Le famiglie patrizie, i capi illuminati alla guida della millenaria Repubblica di San Marco

---

A cura di Antonella Grignola

Ideazione, impaginazione e redazione: Sedigraf, Blevio (CO)

Referenze fotografiche: Archivio Sedigraf

Disegni: Pietro Cattaneo

La Sedigraf ringrazia Franco Sala e tutti coloro che hanno dato un contributo alla ricerca iconografica. Si dichiara disponibile a regolare eventuali spettanze rispetto alle immagini di cui non sia stato possibile reperire la fonte.

ATLANTE DELLA STORIA

I DOGI DI VENEZIA

1ª edizione settembre 1999

Via Strà 167 – S.S. 11
37030 Colognola ai Colli (VR)
Tel. 045 6174111 Fax 045 6174100

Introduzione

Da una 'speciale' condizione geografica Venezia ha derivato la vocazione a un'evoluzione storica 'speciale'. Conseguire e conservare il controllo dei mari nel momento in cui sembrava più difficile farlo fu la necessità cui per anni il governo della Repubblica di San Marco guardò come a una garanzia di sopravvivenza. Fu soddisfatta dalla guida dei dogi che la ressero non come sovrani assoluti, ma quali rappresentanti di un'oligarchia patrizia che dal regime repubblicano romano derivò l'adesione ai princìpi della collegialità e della temporalità delle pubbliche cariche.

Alle origini sostituto del *magister militum* bizantino, il doge veneziano rappresenta la volontà di poche famiglie che, detentrici del potere economico, si autocandidarono al governo politico della città. La storia di questa istituzione e di quella degli organismi che l'affiancavano s'intreccia con le vicende eroiche e tragiche di Venezia che, in una saggia alternanza di propositività e neutralità politica, seppe conservare la propria autonomia per secoli in un contesto storico a sé sfavorevole poiché contrassegnato dall'affermazione degli Stati Nazionali.

Enrico Dandolo, l'eroe della Quarta crociata, conquistò a Venezia una supremazia sui mari del Levante che solo la concorrenza dei commerci transoceanici e l'avanzata dei Turchi misero in crisi, ma a secoli di distanza la Serenissima celebrò il trionfo sul mare di Francesco Morosini, il conquistatore della Morea.

Nei momenti difficili come in quelli più felici della sua storia il governo della Repubblica del leone seppe liberare energie che suscitarono l'ammirazione degli estimatori e l'invidia dei detrattori; dalla guerra contro Genova, ad Agnadello, da Lepanto all'occupazione francese, la storia dei dogi è la vicenda di uomini coraggiosi, di personalità còlte nel momento dell'azione eroica o in quello del ripiegamento nella meditazione; è una vicenda di lodevoli amministratori e, tranne qualche eccezione, di sostenitori fedeli della causa della ragione di Stato; è l'epopea che i ritratti di Palazzo Ducale hanno fissato nella memoria dei posteri.

La 'seconda' Venezia

Durante la conquista longobarda, l'emigrazione degli abitanti della terraferma veneta verso la zona lagunare da provvisoria diventa definitiva e acquista consistenza: è il fenomeno storico che dà il via alla fondazione della 'seconda' Venezia, seguita alla *Venetia* identificata dai Romani con la *Decima Regio* imperiale.

Gli esiti della faticosa riconquista di **BELISARIO**, il generale al servizio dell'imperatore d'Oriente **GIUSTINIANO**, promotore della guerra greco-gotica, sono in breve tempo capovolti. AQUILEIA cade sotto i colpi delle truppe guidate da **ALBOINO** nel 568, PADOVA e MONSELICE si arrendono alle armi di **AGILULFO** tra il 600 e il 603. Seguono le rese di ASOLO, ALTINO e ODERZO, sede della capitale del Ducato bizantino, che vede il suo dominio progressivamente ridotto alle isole della laguna e, più a sud, ai territori della PENTAPOLI e dell'ESARCATO.

La nuova **società veneta** annoverava tra le proprie fila i molti aristocratici che avevano trovano conveniente scappare alla minaccia delle requisizioni dei beni da parte dei barbari e ricalcava, nella rigida gerarchia, la composizione tipica della popolazione della provincia romana dove la fedeltà al principio di appartenenza era affermata dalla supremazia dell'*ordo decurionum*.

Veduta aerea di Venezia.

I *principes*, cioè i primi, esercitavano il potere in ogni sua forma (politica, militare, economica); tra le loro fila si sceglievano i **tribuni**, che affiancavano il *magister militum* bizantino nel governo delle isole; c'erano poi i *mediocres*, gli appartenenti a quello che con espressione moderna chiamiamo 'ceto medio', infine i *minimi*, il popolo minuto fatto di operai, artigiani, ma anche schiavi e ancelle.

Parallela a quella laica era la **gerarchia ecclesiastica**, che comprendeva i diversi gradi della missione spirituale, dal vescovo al 'plebano' o piovano.

A capo del governo delle isole erano insomma i pochi che, per il privilegio della nascita, si ritenevano autorizzati a guidare gli altri. A ben guardare, tuttavia, due considerazioni valgono a mitigare questa oligarchia nobiliare.

Sebbene li escluda da ogni possibilità di essere protagonisti, il governo lagunare considera come soggetti politici gli **uomini liberi** chiamati periodicamente a partecipare, anche solo per acclamarle, alle decisioni dei capi.

Il governo lagunare rispetta formalmente l'autorità bizantina, ma l'aristocrazia veneta, già in questa fase storica, sembra del tutto **libera da condizionamenti esterni** per quanto attiene alla funzione del comando, che interpreta per altro in modo più vicino alla **tradizione romana** (dispotismo temperato dall'esistenza delle magistrature) che a quella greca (dispotismo assoluto).

In tale contesto, sul finire del VII secolo, maturò il passaggio dal sistema dei tribuni a quello dogale, all'inizio ancora instabile, poi, con il secolo successivo, saldo al punto che si conserverà fino al 1797.

Venezia in una miniatura del XV secolo conservata a Oxford.

Nella pagina a fianco: *la leggenda racconta che i mercanti veneziani, autori del trafugamento delle spoglie di san Marco, per sfuggire all' ispezione delle guardie portuali di Alessandria, le nascosero sotto uno strato di carne di maiale che i musulmani avevano in odio per motivi religiosi. Nell' immagine:* Il trafugamento del corpo di San Marco *del Tintoretto.*

Le origini dell'istituzione

«*Le cause del mutamento istituzionale nel Ducato devono ricercarsi nell'eccessiva dispersione del potere, frazionato tra le diverse isole della laguna, non meno che nei conflitti che opponevano tra loro i tribuni desiderosi di imporre la loro personale volontà, trascurando nel contempo la difesa dalle incursioni dei tradizionali nemici, i Longobardi, che avevano nel patriarca di Aquileia un fedele alleato, e ancora dalle scorrerie dei pirati dell'Istria, che costituivano una minaccia costante per il nascente Stato*» (Alvise Loredan).

A raccontarci la transizione politica è un attento cronista trecentesco: **ANDREA DANDOLO**.

Ricoprì la suprema carica veneziana e apparteneva a una famiglia che, nella scelta coraggiosa della Venezia delle origini, intendeva trovare per sé motivo di vanto; per queste ragioni ***la sua narrazione deve essere accolta con cautela***. La ricostruzione dei fatti non chiarisce i dubbi dello storico e in qualche punto suona palesemente falsa. Secondo lui, nel 697, popolo e nobili insieme, provenienti dalle diverse isole della laguna, si sarebbero ritrovati per procedere alla designazione di un nuovo capo, il **doge** (dal latino *dux*, capo), che da allora li avrebbe governati invece dei destituiti tribuni e dei *magistri militum* bizantini.

«*Tribuni et omnes primates et plebei cum patriarcha et episcopis et cuncto clero in Heraclea hiis diebus pariter convenerunt*» (I tribuni, i nobili e il popolo con il patriarca, i vescovi e tutto il clero in quei giorni si ritrovarono tutti a Eraclea).

In realtà, a questa data, il passaggio al nuovo ordinamento non è da considerarsi definitivo e c'è da dubitare che sia avvenuto in modo pacifico. I primi secoli della vita politica veneziana furono caratterizzati da un'elevata **conflittualità**, sebbene in epoca successiva si sia diffuso il mito secondo cui, unico caso in Italia, Venezia si sarebbe conservata immune dall'odio che altrove opponeva famiglie e fazioni. I fatti contraddicono però un'interpretazione troppo

facile per non suonare interessata e ci convincono del contrario. Al primo doge, secondo una tradizione condivisa, **PAOLUCCIO** o **PAULICIO ANAFESTO**, seguì un periodo confuso caratterizzato dalla temporanea restaurazione del potere dei *magistri militum* bizantini (737-742) e, solo dopo l'uccisione del duca **ORSO**, il dogado si confermò come la forma istituzionale del potere veneziano. Tuttavia né sui nomi né sulle date c'è accordo. Mentre infatti il cronista **GIOVANNI DIACONO** colloca l'elezione di Paoluccio nel 697, il *Cronicon Altinate* la sposta al 713-715. Secondo alcuni, poi, il primo doge non fu l'Anafesto, bensì **ORSO IPATO**, eletto nel 726 dopo una rivolta militare antibizantina in cui maturò tra l'altro l'assassinio dell'Esarca di Ravenna.

Sul finire dell'VIII secolo, il crollo dell'Esarcato di Ravenna favorisce il processo di affrancamento delle isole della laguna veneta dal dominio bizantino. Anche quando, nell'812, la pace di Acquisgrana confermerà l'autorità di Costantinopoli su Venezia, ***la dipendenza rimarrà solo formale***.

A santificare questa affermazione della **libertà sovrana** concorse il culto di **SAN MARCO EVANGELISTA**, che il Dandolo mostra di identificare con Venezia stessa quando, all'inizio della sua cronaca, ci racconta di come il santo, sospinto verso i lidi veneti da una tempesta di mare e fondata la chiesa di Aquileia, avrebbe trovato salvezza e rifugio temporanei nel luogo dove sarebbe sorta la basilica a lui dedicata. Qui vide in sogno il tempio in cui avrebbe riparato il suo corpo che due Veneziani, di ritorno da una spedizione commerciale ad Alessandria d'Egitto, riferirono al doge di avere riportato in città. L'inaspettato ritorno fu insomma interpretato come un 'segno' della speciale **protezione** accordata dal santo alla città, di cui diventò patrono. E, circostanza insolita, ad amministrarne la reliquia furono il doge in persona e la chiesa, che era stata costruita come sua cappella privata. Dunque non dell'autorità religiosa del vescovo, ma del potere laico del signore di Venezia, il leone di san Marco divenne il simbolo.

I simboli e gli strumenti del potere dogale. Dai Candiano agli Orseolo

Nel XVI secolo, all'epoca del dogado di Sebastiano Venier, la veste ufficiale del signore di Venezia si è arricchita di nuovi elementi, come la ricca mantellina di ermellino che gli ricade sulle spalle.

Al doge spetta innanzi tutto **il comando dell'esercito**, l'*exercitus Venetiarum* in precedenza guidato dal *magister militum* bizantino. L'alta dignità che ricopre si esprime nelle insegne che ne contraddistinguono l'autorità e il rango.

Toga, dalmatica e **sandali** sono gli elementi essenziali del suo vestiario; la seconda è una tunica dalle ampie maniche, lunga fino a sotto le ginocchia e ornata lungo i bordi da motivi decorativi: fu usata nel territorio dell'Impero romano dal II secolo d.C. L'insieme ricorda l'abbigliamento tipico degli imperatori d'Oriente. Con il passare del tempo, l'eleganza si raffina e l'abbigliamento dogale si arricchisce: il corno rosso alla cui base è una corona, una fascia d'oro incastonata di pietre preziose, si sostituisce al semplice copricapo bizantino delle origini, la 'zoia'; il mantello scarlatto da corto che era diviene ampio e lungo, è chiuso da una borchia di gemme ed è decorato da una mantellina di pelliccia bianca (di solito ermellino). Una leggera cuffia di lino affrancata sotto il mento e, sopra, un berretto in velluto pregiato completano la descrizione degli accessori ricorrenti nel vestiario di **FRANCESCO DANDOLO** (1329-1339). Si accompagnano ai simboli dell'autorità dogale lo scettro o *baculus*, segno dell'investitura ricevuta da san Marco Evangelista, il seggio o 'sella' e la spada.

Era abitudine del doge muoversi circondato da guardie armate, uomini liberi esperti nell'esercizio delle armi e investiti del compito di difendere la sua incolumità. Tale presenza minacciosa non era sempre garanzia di sicurezza, molti furono i dogi vittime di **congiure** ordite ai loro danni da clan familiari rivali o 'semplicemente' tolti di scena nel momento del loro declino politico.

Il ricorso alla violenza per la risoluzione della contesa politica fu una costante nei secoli IX e X, l'epoca del consolidamento del dogado alla guida della città (la sede del governo fu trasferita da Eraclea a Malamocco, quindi a Rialto) e dell'affermazione della famiglia **CANDIANO**.

Impegnati nella conquista del monopolio commerciale nell'ALTO ADRIATICO, che si consolidò in seguito alla decadenza del porto rivale di RAVENNA (**PIETRO II** ridusse all'obbedienza COMACCHIO e, sulla riva opposta,

Dogaressa abbigliata in vesti ufficiali. All'inizio semplice consorte del signore, la dogaressa acquistò il titolo di principessa, cui si confacevano attribuzioni particolari.

Palazzo Ducale.
Particolare dell'Arco Foscari.

conquistò CAPODISTRIA), i Candiano furono nondimeno impegnati a rinsaldare il proprio potere e coltivarono l'ambizioso progetto di fare del governo della laguna un ducato ereditario. Per questo non esitarono a ricorrere alle astuzie della **diplomazia** e, quando questo non fu sufficiente, alla **demagogia** e alla **forza**. Pietro, il terzo di una serie di dogi che con lui condivisero il nome, cercò l'appoggio dell'imperatore tedesco Ottone al suo impegno di feudalizzare la vita politica veneziana, spostandone gli interessi economici dal mare verso la terraferma. Cercò altresì importanti alleanze nella penisola e per questo non esitò a ripudiare la prima moglie preferendole la sorella del potente marchese di Toscana. Le mire dei Candiano furono tenacemente osteggiate dalle famiglie veneziane rivali nell'ambizione a ricoprire la massima carica cittadina. Così, nel 976, il nuovo doge **VITALE** morì nell'incendio del Palazzo Ducale che la folla appiccò con il proposito doloso di eliminarlo dalla scena politica cittadina. Quella volta la distruzione non risparmiò neppure la basilica di San Marco, che i successori dei Candiano, gli **ORSEOLO**, fecero ricostruire. D'altro canto neppure questa dinastia sarebbe stata risparmiata dalla violenza, dal momento che il figlio di Pietro II, l'autore di una brillante spedizione militare in DALMAZIA contro i pirati slavi che infestavano le rotte adriatiche, sarebbe stato tolto di mezzo con la violenza. **OTTONE ORSEOLO**, questo era il suo nome, mostrò scarsa energia nel resistere ai nemici interni ed esterni e cadde vittima di una congiura organizzata ai suoi danni dall'aristocratico **DOMENICO FLABANICO**: fu costretto alla scelta forzata dell'esilio in Oriente da dove assistette al fallimento dei tentativi del fratello di riprendere il potere.

L'impresa di **PIETRO II ORSEOLO** (991-1008) merita di essere rievocata con attenzione, dal momento che ebbe un'importanza determinante nell'azione di consolidamento del dominio commerciale veneziano sull'Adriatico. Qui, prima dell'anno Mille, i Dalmati disponevano di un arsenale navale degno di concorrere con quello della città lagunare e il pericolo che potessero contrastarle il controllo delle vie del commercio verso l'Oriente costituiva una minaccia reale. La dimostrazione di superiorità navale di cui Pietro diede prova liberando le coste dalmate dalla pirateria che le infestava mostrò come fosse ormai necessario venire a patti con i nuovi signori di Venezia, che si assunsero persino l'onere di proteggere le città della costa contro i principi slavi dell'interno. Ma, come lo storico americano Frederic C. Lane osserva nella sua *Storia di Venezia*, ***Pietro Orseolo dimostrò un'abilità ancora maggiore nell'azione diplomatica***. Il progetto di rafforzamento della posizione commerciale di Venezia nell'Adriatico contrastava infatti con le mire egemoniche delle due autorità che aspiravano alla gestione dell'eredità romana, l'imperatore germanico e quello bizantino. Ebbene, nel tentativo di accattivarsi il favore di entrambi e di mostrarsi come l'imparziale difensore della libertà del commercio, Pietro Orseolo arrivò al punto di concludere un complicato **intreccio matrimoniale**: sposò infatti i due figli rispettivamente a una nipote dell'imperatore greco e a una cognata dell'imperatore tedesco.

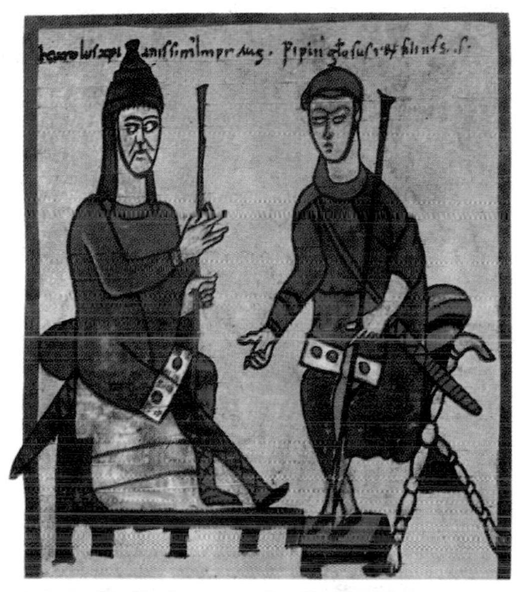

Ai tempi del dogado di Obelario degli Antenori (804-811), Venezia respinse una spedizione militare guidata dal re Pipino, che vediamo raffigurato, sulla destra, in questa miniatura. Al successo concorsero l'energica difesa degli abitanti della laguna e, probabilmente, l'intervento della flotta greca. Il racconto dell'evento è tuttavia contraddittorio e leggendaria è la ricostruzione pittorica di Palma il Giovane e di Andrea Vicentino nella Sala dello Scrutinio in Palazzo Ducale.

«Nei secoli successivi Venezia avrebbe combattuto molte guerre per mantenere o riacquistare il controllo della Dalmazia; ma per lo più si trattò di una lotta della potenza marittima veneta contro città costrette a dipendere dall'aiuto di potenze terrestri come l'Ungheria. Nei pochi casi in cui il controllo di quelle acque fu in dubbio, la minaccia venne da una potenza navale che aveva la sua base fuori dall'Adriatico, come la Repubblica genovese o l'Impero ottomano» (Frederic C. Lane).

Lo sposalizio con il mare

Il nome degli Orseolo è legato a una delle più suggestive ricorrenze della tradizione veneziana, la **cerimonia dell'Ascensione**, altrimenti nota come festività in cui si celebrava lo 'sposalizio con il mare'. Fu infatti a partire dall'anno in cui il doge vittorioso ricevette l'atto di sottomissione a Venezia dei Dalmati e degli Istriani che un solenne corteo navale, la **Sensa**, prese a trasportare il signore della città dal molo della piazzetta di San Marco fino a San Niccolò al Lido. Qui **un anello d'oro**, gettato tra le acque dell'Adriatico da uno sportellino aperto nello schienale del trono, avrebbe rinnovato simbolicamente di anno in anno l'unione della città con il suo mare. «*Desponsamus te mare, in signum veri perpetuique domini*» (Ti sposiamo, o mare, in segno di vero e perpetuo dominio) era la formula rituale pronunciata per l'occasione.

All'imbarcazione dogale utilizzata come barca-guida della Sensa, i Veneziani dedicarono sempre una cura particolare. La nave da parata della Serenissima fu il **bucintoro**, una galera la cui probabile etimologia deriva dal nome di un'imbarcazione medievale, il 'bucio', che per via delle ricche decorazioni era detto 'bucio in t'oro'. Circa il numero dei bucintori utilizzati per la cerimonia dello sposalizio c'è grande incertezza; non è chiaro neppure a quale

Il bucintoro in Riva degli Schiavoni, *un dipinto di Francesco Lazzaro Guardi.*

epoca datare con esattezza la decisione di costruire un'imbarcazione dogale speciale: è certo invece che anche in altre circostanze solenni il bucintoro fu utilizzato come **nave di rappresentanza** e che, persino in condizioni economiche difficili, Venezia decise di investire parte delle proprie ricchezze nella realizzazione di quello che sempre identificò come uno dei simboli del potere del doge.

I fianchi dell'imbarcazione erano ricoperti da figure mitologiche (generalmente sirene e ippocampi), i loggiati erano «sorretti da delfini incurvati tra ghirlande e cartigli che si intrecciano e si snodano per mutarsi nelle sembianze di idre mostruose che s'avventano a mordere dalle estremità dei due speroni sporgenti alla prua» (G.B. Rubin de Cervin). È la descrizione dettagliata di un bucintoro d'età barocca, ma lo sfarzo è da considerarsi in ogni epoca la 'cifra' della magnificenza dogale.

Canaletto, Il ritorno del bucintoro al molo nel giorno dell'Ascensione *(particolare).*

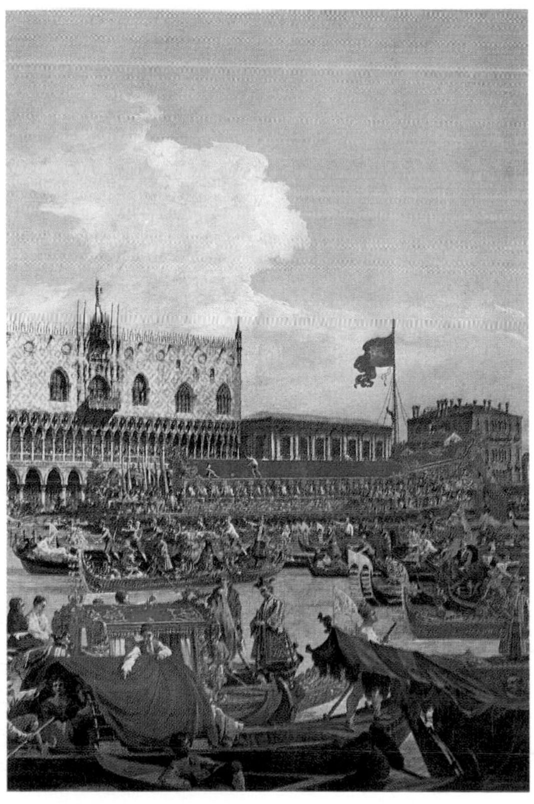

L'ultimo bucintoro risale al 1729 e al dogado di **ALVISE MOCENIGO** (1763-1778); era così curato che in onore del suo varo si pubblicarono sonetti commemorativi dell'evento e fu coniata una moneta che ne riproduceva l'effigie. Fu utilizzato per l'ultima volta nel 1796 dal doge **LODOVICO MANIN** quando già le truppe di **NAPOLEONE** erano entrate in Italia e vi avevano travolto vittoriosamente ogni resistenza austriaca. Seguirono l'occupazione francese di Venezia e il 'tradimento' di CAMPOFORMIO. Le distruzioni delle truppe francesi non risparmiarono le navi ammassate nell'Arsenale cittadino, tra cui lo storico bucintoro. Fu preso a colpi d'ascia e fatto a pezzi, quindi bruciato in un'enorme catasta di legna ammassata nell'isola di San Giorgio Maggiore. Dense nuvole di fumo segnarono il tramonto di una fase gloriosa della vita di Venezia.

Contro i Normanni: Domenico Selvo (lo sconfitto) e Vitale Falier (il vincitore)

Per ricompensarli dell'aiuto prestato nella lotta contro i Normanni, nel 1082 i Bizantini concessero ai Veneziani un crisobollo (bolla d'oro) in virtù del quale godettero di privilegi commerciali e di esenzione dal pagamento di ogni dazio. Nonostante questo successo, il dogado di Vitale Falier fu inviso al popolo di Venezia che non gli perdonò i terribili effetti della carestia da cui fu colpita la città negli anni del suo governo. Nell'immagine mosaici medievali nell'atrio della basilica di San Marco.

Dopo l'anno Mille i Veneziani rivolsero la loro attenzione all'Adriatico meridionale e nei **Normanni** identificarono il nuovo nemico da combattere. Il loro capo, **ROBERTO IL GUISCARDO**, si era saldamente insediato nell'Italia del sud e da qui muoveva attacchi contro i maggiori centri marittimi dell'Impero bizantino in Occidente. Ebbene, la prospettiva dell'indebolimento del monopolio commerciale bizantino risultava inaccettabile a chi dalla conservazione dello *status quo* avrebbe ricavato la permanenza di vantaggiosi privilegi: per questo Venezia rispose favorevolmente all'appello dell'imperatore **ALESSIO I** che, bersaglio a Oriente di ripetuti attacchi dei Turchi Selgiudichi, invocò a Occidente l'aiuto della flotta della città alleata. Oltre che le ragioni politiche, motivi familiari convinsero il doge in carica alla scelta dello scontro: **DOMENICO SELVO** (1071-1084), seguito al governo della città alla morte del predecessore **DOMENICO CONTARINI** (1043-1071), si era sposato con una nobildonna imparentata con una delle più illustri famiglie dell'aristocrazia costantinopolitana; ogni indugio fu perciò superato e la battaglia decisa.

Centottanta navi normanne si apprestavano all'attacco delle posizioni imperiali a DURAZZO e lì, al comando del doge in persona, le galere e le chelandie veneziane giunsero con un anticipo di tre giorni sui tempi previsti per lo scontro. Nel primo giorno di battaglia la sorte arrise ai Veneti che, dopo due assalti rovinosi per il massiccio ricorso all'arma del fuoco greco, conquistarono il porto e costrinsero il Guiscardo a ritirarsi nell'interno. Nei giorni succes-

Il doge Vitale Falier intrattenne ottimi rapporti diplomatici con l'imperatore tedesco Enrico IV che, per procura, tenne a battesimo sua figlia per questo motivo chiamata Enrica. L'immagine, tratta da un codice del XII secolo, raffigura l'imperatore nell'atto di supplicare l'abate Ugo e la contessa Matilde di Canossa perché ottengano dal papa la revoca della scomunica pronunciata contro di lui.

sivi, però, il condottiero normanno avrà ragione della resistenza delle truppe imperiali, costrette infine alla ritirata lungo il corso del fiume CARZANE. Seguì la riconquista di Durazzo, strappata ai Veneziani dopo alcuni giorni di assedio.

Tre anni dopo, nell'inverno 1084-1085, le due potenze navali tornarono a scontrarsi al largo delle acque di CORFÙ e anche in questa circostanza la flotta normanna si mostrò superiore alla veneta; le acque del mare si tinsero allora di rosso e i marinai della laguna caddero a migliaia nelle mani del nemico, che ricorse a rappresaglie durissime. Una **rivolta popolare** costrinse Domenico Selvo, considerato responsabile della disfatta, a lasciare la guida della città. Solo alcuni storici confermano tuttavia la circostanza e qualcuno propende piuttosto a credere che la fine del doge sia da anticipare alla cattura avvenuta nel corso della difesa di Durazzo. Al suo successore, **VITALE FALIER** (1084-1096), la tradizione attribuisce la terza fase della lotta antinormanna e la vittoria navale di BUTRINTO, sulle coste dell'Albania, nel 1085. Lo stesso anno vide la morte del Guiscardo, stroncato a settant'anni dopo una vita trascorsa a combattere. I Veneziani erano riusciti a batterlo solo una volta, ma il loro attivismo militare nel basso Adriatico aveva non poco rallentato le sue mire espansionistiche nel Mediterraneo. La partita non poteva dirsi conclusa e l'esito finale sarà sorprendente: lo sconfitto sarà il re normanno **RUGGERO II DI SICILIA**. Insieme con lui, nel 1149, i Veneziani cacceranno definitivamente i rivali dall'Adriatico e saranno così pronti per un'altra fase gloriosa della loro epopea marinara: la partecipazione alle Crociate.

Alla conquista dell'Oltremare

L'epopea delle **Crociate** ebbe grandi ripercussioni sulla storia di Venezia che, dalla fine dell'XI secolo, grazie al contributo attivo prestato nelle spedizioni in Terrasanta, vide rafforzata e allargata la propria originaria vocazione marinara: oltre il Mare Adriatico e lo Ionio, il bacino orientale del Mediterraneo divenne oggetto della conquista militare e mercantile veneta. In questo periodo assistiamo altresì a un progressivo deterioramento dei rapporti tra la Serenissima e i Greci. La conferma dei privilegi fino a qui accordati e la revoca degli stessi si alternarono dopo la morte dell'imperatore **ALESSIO I**; in risposta crebbero le azioni di pirateria veneziana ai danni dei centri costieri bizantini, sempre più inclini a ricercare la protezione di PISA, fino a quando, con una mossa inaspettata e dopo avere ipocritamente ribadito la forza dei legami d'amicizia tra i due popoli, nel 1171, il nuovo signore di Costantinopoli, **MANUELE COMNENO**, ordinò che tutti i Veneziani residenti sul territorio dell'Impero fossero arrestati e i loro beni confiscati. La circostanza è tanto grave da costituire un precedente efficace a spiegare gli esiti della Quarta crociata.

Da una miniatura della Biblioteca Nazionale di Parigi, navi veneziane al largo di Costantinopoli.

VITALE I MICHIEL (1096-1102) fu il doge che nel 1097, accogliendo favorevolmente l'invito di **GOFFREDO DI BUGLIONE**, inviò una flotta di 207 navi verso la Terrasanta. Fece dapprima sosta a RODI dove batté valorosamente i Pisani, quindi mosse alla volta di GIAFFA dove, in accordo con i maggiorenti europei, si dovevano definire tempi e modi dell'attacco a CAIFA (l'attuale Haifa). Alla colorita cronaca di **GUGLIELMO**

DI TIRO dobbiamo il racconto dei fatti eroici dell'impresa. Inseguita la flotta egiziana in fuga da Giaffa, liberata dall'assedio, i Veneziani l'affrontarono e la sbaragliarono nei pressi di ASCALONA, quindi, non paghi della strage e del bottino raccolto, prestarono manforte ai cavalieri del Regno di Gerusalemme nella lotta contro Tiro che infine cadde (1124). Il predominio così conquistato diede al doge l'opportunità di saccheggiare a suo piacimento le terre incontrate sulla via del ritorno: appartenevano in grande parte a Costantinopoli, con cui i rapporti diplomatici si facevano via via più tesi.

«Ordelaf Falier (1102-1118) continuò la sua opera in Terrasanta dando aiuto colla flotta ai Crociati ed ottenendo notevoli vantaggi commerciali. (...) Ebbe una breve guerra con Padova e una ben più difficile in Dalmazia contro gli Ungari che l'avevano invasa ed eccitata a ribellarsi. Mentre ciò succedeva, Venezia ebbe molto a soffrire a causa di un violento sconvolgimento tellurico che fece sparire nelle onde l'antica Malamocco e per un colossale incendio che incenerì varie sue contrade» (Andrea da Mosto).

Il dogado di Ordelaf Falier è passato alla storia per l'inizio dei lavori di costruzione dell'Arsenale di Venezia e il trasporto a San Marco della notissima Pala d'Oro, capolavoro di fine oreficeria. In origine essa raffigurava tra l'altro l'imperatrice d'Oriente, Irene, in compagnia del marito, ma, dopo il trasferimento a Venezia, la testa di quest'ultimo fu sostituita con quella del doge, che aveva ordinato l'"acquisto" del capolavoro.

Domenico Michiel

Nell'illustrazione, operazioni di sbarco delle merci nella zona oggetto della conquista crociata.

Ai tempi del dogado di **DOMENICO MICHIEL** (1118-1130) la Repubblica di Venezia riportò altri clamorosi trionfi in imprese crociate dal momento in cui decise di intervenire in difesa di **BALDOVINO II** attaccato dal Sultano e sostenuto, oltre che dai Veneti, dal papa **CALLISTO II**. Lo scontro principale avvenne ancora una volta al largo della fortezza di ASCALONA che gli 'infedeli' erano riusciti a riconquistare. Qui il doge ebbe buon gioco sul nemico quando, col proposito di trarlo in inganno, finse di rinunciare allo scontro contro la flotta egiziana e l'attaccò invece in mare aperto dopo averla costretta a spiegarsi e averne minato così la compattezza. A TOLEMAIDE il Michiel e i suoi uomini vennero accolti come trionfatori dai principi cristiani e con questi si allearono per tentare la riconquista di TIRO caduta in mano saracena. Inutile precisare che gli accordi sottoscritti per l'occasione furono molto favorevoli ai

Veneziani. «Il numero delle concessioni ottenute dai Veneziani in Terrasanta ci indica con precisione l'entità determinante del loro contributo bellico alle imprese crociate, mentre l'ampiezza dei titoli e dei privilegi ottenuti dà la misura del rango altissimo che i re crociati riconoscevano sia al doge della Serenissima, sia alla nobiltà patrizia che partecipava con lui al potere dello Stato» (Alvise Loredan).

Costruttori di barche al lavoro raffigurati sul portale centrale della basilica di San Marco.

L'assedio di Tiro cominciò nel febbraio del 1124 e si protrasse fino al luglio dello stesso anno. La conquista non fu facile e a un certo punto la sfiducia prese a serpeggiare tra le fila dei crociati, che accusarono i Veneziani di condurre l'impresa con scarsa convinzione. Offeso nell'onore, il doge spronò allora i suoi a reagire e la presa di Tiro fu completata quando un corpo d'armata veneto riuscì a sbarcare e portò la guerra direttamente al cuore della città. È risaputo come, durante l'assedio di Tiro, Domenico Michiel ordinò di togliere gli armamenti navali dalle galere della Repubblica: in questo modo rassicurò definitivamente gli alleati circa le onorevoli intenzioni della sua flotta, che non avrebbe abbandonato la lotta neppure in caso di disfatta. Memorabile fu anche ***la rinuncia del Michiel al trono di Gerusalemme*** che, in assenza di Baldovino II, caduto prigioniero del nemico, gli sarebbe stato offerto quale guerriero dell'armata latina più degno a ricoprire questo onore. Egli preferì piuttosto continuare nella serie delle imprese vittoriose grazie a cui conquistò a Venezia le importanti roccaforti di RODI, SAMO, MITILENE e CHIO. Abdicò nel 1130, ormai vecchio e malato e alla morte gli fu dedicato un solenne monumento in marmo e porfido nella chiesa di San Giorgio Maggiore. Peccato che, in occasione della sua ricostruzione, nel 1556, lo stesso fu abbattuto e le ceneri del doge andarono disperse. I posteri sembravano avere dimenticato l'eroismo del signore dell'Oltremare.

Domenico Morosini e Sebastiano Ziani

La chiesa di San Zaccaria, nelle cui vicinanze il doge Vitale II Michiel fu pugnalato a morte. Qui, ogni lunedì di Pasqua, il doge si recava in visita solenne in segno di omaggio alle monache benedettine, che al governo della Repubblica avevano ceduto alcune loro proprietà ai tempi dei lavori d'ingrandimento e di sistemazione di piazza San Marco.

DOMENICO MOROSINI (1148-1156), che era stato tra i primi a sbarcare a Tiro nel memorabile assedio del 1124, è ricordato più per l'abilità diplomatica che per le virtù militari. Costrinse i Normanni, battuti dal suo predecessore Pietro Polani, ad accordi commerciali vantaggiosi per la Repubblica e, in politica interna, si curò della riforma dell'amministrazione della giustizia. Si dedicò inoltre all'abbellimento edilizio di Venezia e sotto il suo governo la torre di San Marco raggiunse l'altezza della cella campanaria. Più agitato fu il dogado del suo successore **VITALE II MICHIEL** il quale, alleato della **Lega Lombarda**, affrontò le ire del **BARBAROSSA** che, per ritorsione, scatenò contro Venezia Padova, Ferrara, Treviso e Verona, nonché il patriarca di Aquileia. Ma il doge trionfò su tutti e il suo governo ebbe il merito di emancipare completamente la Serenissima dalla tutela imperiale; sotto di lui le monete non recavano più impresso il nome dell'imperatore, ma quello del doge di Venezia e, sul rovescio, il busto di san Marco. Poca fortuna ebbe invece la sua spedizione contro l'imperatore d'Oriente, Manuele Comneno, colpevole di un ardito voltafaccia nei confronti degli ex alleati (*vedi* p. 18): la flotta della Repubblica fu infatti costretta a rientrare precipitosamente in patria decimata da un'epidemia. I Veneziani non perdonarono allora a Vitale il tracollo subìto e, aizzati da un rivale della sua fazione, organizzarono una **congiura** ai suoi danni. Ferito a morte nei pressi della chiesa di San Zaccaria, il doge, agonizzante, cercò la salvezza via acqua, ma le ferite riportate ne causarono la morte dopo qualche ora. Correva l'anno 1172.

Le **riforme costituzionali** entrate in vigore dopo la morte violenta di Vitale II furono ispirate da esigenze diverse: da un lato si operò per limitare i poteri dell'Assemblea popolare, dall'altro l'istituzione del Maggior Consiglio elettivo, il deferimento della scelta del doge a undici elettori membri di quello e l'affiancamento all'autorità dogale di sei consiglieri, rappresentanti dei sei sestieri cittadini, indicarono ***la volontà di contrastare***, nel futuro, ***aspirazioni dispotiche*** del tipo di quelle che il doge uscente e alcuni predecessori avevano manifestato.

Il nuovo capo della città, eletto dopo tre giorni di conclave, fu **SEBASTIANO ZIANI**. Egli diede prova di grande attivismo diplomatico, al punto che **FEDERICO BARBAROSSA** e il papa **ALESSANDRO III** scelsero Venezia come sede presso cui intavolare le trattative che avrebbero posto fine al loro aspro contrasto. A questo proposito la mediazione del doge era stata fondamentale, così come lo fu nella conclusione di una pace onorevole con Bisanzio.

Venezia trasse indubbi vantaggi dalla pacificazione: dall'alleanza con la Chiesa derivò importanti privilegi spirituali, tra cui la definitiva regolamentazione della festività dello sposalizio con il mare (*vedi* pp. 14-15), in quegli anni consacrata dalla benedizione pontificia. In questo periodo, in piazza San Marco, furono erette le due famose colonne, che erano state portate dall'Oriente nel XII secolo; la piazza stessa e il Palazzo Ducale furono sistemati e ampliati.

Nella Sala del Maggior Consiglio e in quella del Consiglio dei Dieci (illustrazione) in Palazzo Ducale, numerosi dipinti ricordano la visita dell'imperatore e del papa a Venezia, la festività dello sposalizio con il mare e le insegne dogali che, si crede, sarebbero state confermate dal pontefice al signore di Venezia proprio in quella circostanza.

Enrico Dandolo e la Quarta crociata

Ai tempi del governo di **ORIO MASTROPIERO** (1178-1192), i poteri del doge furono ulteriormente limitati dall'istituzione della **Quarantia**, cui si attribuì il giudizio di appello nelle sentenze civili e penali, prerogativa in precedenza del capo del governo. Gli succedette **ENRICO DANDOLO** (1192-1205) e con lui la Serenissima conobbe un'autorità d'eccezione e un personaggio dal grande carisma.

La ricostruzione storica affidata alla penna del **VILLEHARDOUIN** lo vuole uomo grande d'animo e di resistente tempra fisica. Aggiunge che ***era quasi cieco***, ma è imprecisa nella ricostruzione dei motivi di tale infermità. Alcuni riferiscono che fu procurata al Dandolo dall'imperatore d'Oriente, che in questo modo intese punirlo per l'ostinazione con cui sosteneva le ragioni della sua patria; altri alludono ai postumi di una ferita al capo seguita a un inspiegato tentativo di accecamento. Grande conoscitore della corte bizantina, presso cui in gioventù èra stato nominato 'bailo', Enrico ne aveva ottenuto, secondo la tradizione, un importante privilegio: aveva riportato a Venezia le spoglie del corpo di santa Lucia sistemate in un santuario, che sarebbe stato in futuro demolito per lasciare spazio alla stazione ferroviaria. I rapporti con i Greci erano tuttavia destinati a corrompersi nuovamente ai tempi del regno di **ALESSIO III** che, usurpatore del trono ai danni del fratello Isacco, mostrava di preferire i Pisani ai Veneziani. E contro i Pisani si manifestò per prima la virtù militare del Dandolo che, cacciati i rivali da POLA dove si erano insediati, li inseguì fino nelle acque della MOREA e li costrinse in seguito a liberare il braccio di San Giorgio a Costantinopoli, che avevano chiuso con grave danno per i traffici commerciali della Dominante.

Attivo dal XII secolo, l'Arsenale veneziano, di cui vediamo una pianta secentesca custodita al Museo Correr, funzionò a pieno ritmo per allestire la flotta necessaria alla spedizione crociata.

«Scopo di Venezia era il rafforzamento del proprio potere marittimo come base per l'espansione commerciale. Dato che i Veneziani erano in tutto meno di 100.000 anime, non potevano agire come una grande potenza in grado di seguire un piano ben preciso sostenendolo con una forza tale da costringere gli altri a sottomettersi. (...) Il successo dipendeva dalle capacità di adattamento; e l'elasticità veneziana nell'adeguarsi alle circostanze non diede mai prova migliore di sé che nella Quarta crociata, punto di svolta nella storia di Venezia» (Frederic C. Lane).

Enrico Dandolo nel ritratto ufficiale della Sala del Maggior Consiglio di Palazzo Ducale.

L'antefatto

L'ascesa al soglio pontificio di Innocenzo III e le infuocate predicazioni dei suoi emissari in Francia diedero nuova forza a chi, sebbene deluso della provvisorietà delle conquiste conseguite fino a quel momento, aspirava alla ripresa della guerra santa. Tra questi c'era il conte di CHAMPAGNE, **TIBALDO**, che, in occasione di un torneo, convinse i nobili di Francia a partire per la Terrasanta. E perché la spedizione fosse fornita dei mezzi adeguati inviò a Venezia il maresciallo della contea **GOFFREDO DI VILLEHARDOUIN**: avrebbe dovuto trattare con la città affinché fornisse la flotta necessaria al trasporto verso i mari del Levante di un'armata grandiosa. L'iniziativa non era nuova: già in precedenza infatti i Crociati si erano rivolti a città rivierasche per ottenerne la fornitura di navi, armi e viveri, ma la scelta del conte di Champagne si distingueva da tutte le altre per la consistenza delle richieste e l'onere della spesa. La sola Venezia, per via della ricchezza accumulata negli anni precedenti, poteva soddisfarli. D'altro canto siglare l'accordo avrebbe significato per i Veneziani accettare **una sfida rischiosa**: bisognava rifornire cavalli e navi in grande numero e queste ultime andavano armate. Si calcolò che metà dei maschi della Repubblica in età da guerra sarebbero stati impiegati per un anno intero al fianco delle armate crociate. Le difficoltà erano ben chiare al doge Enrico Dandolo quando, ricevuti a Venezia i baroni europei, nel 1201 sottoscrisse con loro un accordo, che impegnava la Repubblica alle forniture richieste in cambio della promessa della ripartizione delle conquiste territoriali e della favolosa cifra di 85.000 marchi d'argento, da versarsi in tre rate. Forse il doge, ottuagenario e quasi cieco, ma ancora sagace e lungimirante, aveva previsto che l'impegno contratto con la Repubblica era troppo oneroso per la nobiltà francese promotrice della crociata e, probabilmente per questo, non esitò poi a proporre strategie restitutive. Certo è che Venezia sembrò mobilitarsi per una guerra vera e propria, più che per sostenere una spedizione alleata: misure militari eccezionali si accompagnarono infatti alla fase preparatoria.

La prima diversione

Lo zelo con cui i Veneziani tennero fede all'impegno preso sorprese persino i protagonisti dell'accordo e quando, morto Tibaldo, risultò chiaro che la nobiltà europea disponeva solo in parte del denaro pattuito per le spese sostenute dai Veneziani, questi ebbero buon gioco nell'accettare una dilazione del debito, a patto che i Crociati si impegnassero a estinguerlo con il ricavato della spedizione. E poiché la **riconquista di Zara**, che sotto la tutela ungherese minacciava di contrastare gli interessi del doge nell'Adriatico, si offriva loro come prima possibilità di riscatto, il Dandolo propose che l'armata ormai pronta per partire fosse impiegata contro la città dalmata. Le difficoltà prodotte dalla concentrazione delle truppe crociate nell'isola di San Niccolò (oggi isola del Lido); il fatto che, nonostante non avessero esitato a spogliarsi di ciò che di più prezioso possedevano, i nobili crociati non riuscivano a ripagare i servigi veneziani; le defezioni di alcuni illustri promotori dell'impresa e la nomina di **BONIFACIO DI MONFERRATO** al comando dell'armata convinsero i capi della spedizione ad accettare la proposta del doge. Il papa reagì negativamente alla decisione, ma il Dandolo fu irremovibile e, a dimostrazione di quali fossero i suoi fini, ***nel corso di una solenne cerimonia in San Marco, prese insieme con i suoi gentiluomini la veste di Crociato***.

L'8 ottobre 1202 la flotta veneziana salpò tra l'entusiasmo e la meraviglia dei cronisti del tempo: quattrocentottanta navi da guerra ripartite per tonnellaggio e funzioni! «Il cerimoniale della partenza della poderosa flotta s'intona al suo maestoso dispiegamento. Le navi salpano tra squilli di trombe argentate e di bronzo, mentre il doge

L'antico Palazzo Dandolo, oggi Grand Hotel Danieli, sulla Riva degli Schiavoni.

Dandolo siede in trono sulla galea ammiraglia. È coperto di un manto di broccato d'oro, al riparo di un padiglione vermiglio che lo sovrasta, il clero intona solennemente il *Veni creator*» (Alvise Loredan). Zara fu saccheggiata e conquistata di lì a poco.

Verso Costantinopoli

La decisione di una nuova diversione su Costantinopoli maturò nel novembre del 1202 e non appare del tutto inattesa qualora si considerino alcuni illuminanti precedenti. Tra i sostenitori della crociata c'era **FILIPPO DI SVEVIA**, genero dell'imperatore greco **ISACCO II ANGELO**, spodestato e accecato dal fratello Alessio nel 1195. Da lui Bonifacio di Monferrato, assunto il comando dell'armata, aveva ricevuto consistenti donativi in denaro. Nella fase preparatoria dell'impresa erano giunti a Venezia ambasciatori bizantini con lo scopo di patrocinare la causa del giovane figlio di Isacco II Angelo, **il principe Alessio**, intenzionato a vendicarsi contro lo zio usurpatore, protetto del papa e dello stesso Filippo di Svevia, di cui era divenuto cognato. Sebbene ogni deduzione riguardo ai tempi della decisione sembri illecita, la cronaca dei fatti e l'intricato groviglio dei rapporti di parentela ci spingono a ipotizzare che la presa di Costantinopoli fu un'eventualità meditata, se non dall'inizio, a spedizione ormai approntata. I motivi dinastici sembrano insomma prevalere sui sospetti di intrighi di Bisanzio con il Saladino e sulle preoccupazioni strategiche; c'è da credere che il Dandolo li conobbe e ***fu pronto a cogliere l'occasione*** per sfruttarli a proprio vantaggio. Pisani e Genovesi contrastavano ormai i favori bizantini a Venezia, nuove tasse si erano sostituite alle esenzioni di un tempo e dall'epoca delle confische e delle persecuzioni di Manuele Comneno i Veneziani non si fidavano più tanto dei Greci. Quando la decisione fu presa alcuni Crociati abbandonarono disgustati l'armata per dirigersi in Palestina, ma, allettati dalle possibilità del bottino e dalle promesse di Alessio il Giovane, i più rimasero e si prepararono all'attacco di Costantinopoli protetta da una duplice fila di mura.

Il campanile di San Marco e la basilica dove, l'8 ottobre 1202, avvenne la solenne vestizione del doge.

La conquista

Per prime furono occupate DURAZZO e CORFÙ che, in quanto domini imperiali, non esitarono ad accettare la sottomissione al principe Alessio, considerato il legittimo erede al trono di Bisanzio. Il mese di maggio si concluse con una navigazione lungocosta: doppiata la MOREA (l'attuale Peloponneso), la flotta crociata fece sosta nel NEGROPONTE (l'Eubea di oggi) e, superato lo Stretto dei Dardanelli, il 26 giugno 1203, fu finalmente in vista di Costantinopoli. L'ammiraglia del Dandolo, la galea di Alessio e quella del Monferrato sfilarono allora davanti ai Greci ammassati alle mura e increduli sulle reali intenzioni degli inattesi visitatori. Nei giorni successivi fallirono tutti i tentativi di mediazione; d'altro canto, solo in caso di restaurazione dell'autorità legittima la città avrebbe evitato l'assedio: in caso contrario la sorte dell'usurpatore sarebbe stata decisa dalle armi. Con un inaspettato colpo di scena, **BALDOVINO DI FIANDRA** si sostituì a Bonifacio nel comando supremo dell'armata franca, mentre al doge di Venezia spettò la guida della flotta. Dai primi scontri apparve chiaro che l'assedio sarebbe stato difficile innanzi tutto a causa dell'indisponibilità dei Greci ad accettare scontri diretti. Per prima fu assalita la torre di GALATA, che sorgeva su una collina sopra il porto; quindi intervennero i Veneziani: la possente cesoia che armava la prua della galea *L'Aquila* troncò senza difficoltà la robusta catena di ferro che ostacolava l'accesso al porto e ciò consentì alle navi del Dandolo di impadronirsene. Cominciò allora l'assalto alle mura contrastato efficacemente dalla strenua difesa bizantina, che ricorse a **imponenti macchine belliche** e all'arma terribile del **fuoco greco**, che con facilità si attaccava al legno delle navi e polverizzava vele e sartie avversarie. In questo momento critico, quando l'alternativa era tra la sconfitta e il rafforzamento dell'assedio attraverso un massiccio sbarco di uomini, la volontà del Dandolo e dei suoi s'impose e la manovra anfibia fu decisa come l'estrema soluzione percorribile.

Coperto da una pesante armatura e preceduto dallo stendardo di san Marco, ***Enrico Dandolo***

Interno di Santa Sofia a Istanbul che, ai tempi della Quarta crociata, fu oggetto di saccheggio sistematico da parte dei cavalieri cristiani. Per l'importanza del ruolo ricoperto da Venezia nell'impresa, la maggior parte dei tesori trafugati in quella circostanza finì con l'essere trasferita nella città della laguna.

Dopo la disfatta di Costantinopoli dell'aprile 1204, Venezia ottenne importanti città, tra cui Adrianopoli in Tracia, grande parte della Morea, le isole di Egina e Salamina nell'Egeo, Zante e Corfù nell'Adriatico. Le fu inoltre riconosciuto il possesso di territori greci settentrionali, l'Eubea e Creta (nell'immagine, uno scorcio dell'isola), che diventerà veneziana nell'agosto 1204, dopo essere stata ceduta al doge da Bonifacio di Monferrato.

si fece calare dalla nave e ***guidò l'assalto***: più di duecento macchine da guerra si apprestarono a lanciare contro le mura ogni sorta di proiettile, mentre sotto una pioggia di dardi e frecce i Veneziani issavano lunghe scale appoggiandole ai ponti delle loro galee. Infine la vittoria fu conseguita e venticinque stendardi degli assalitori sventolarono su altrettante torri della città assediata: fra queste c'era la più alta. Mentre Costantinopoli in preda al saccheggio bruciava a causa di un incendio grandioso, il popolo insorgeva e, liberato il deposto Isacco II, gli restituiva la dignità imperiale. Di lì a qualche giorno questi abdicava in favore del figlio, incoronato solennemente in Santa Sofia come **ALESSIO V**.

Nei mesi successivi l'atteggiamento del nuovo sovrano divenne ambiguo, Alessio cominciò a dimostrare una certa diffidenza nei confronti degli alleati e infine rifiutò di assolvere ai debiti con questi contratti. Di lì a poco sarebbe finito vittima di una **congiura di palazzo** tramata ai suoi danni da un cugino non meno incline di lui a sbarazzarsi degli scomodi ospiti.

L'attacco finale crociato iniziò il 9 aprile 1204 e anche in questa circostanza la parte del leone spettò ai Veneziani e alla loro flotta. Il vento avverso sospingeva le navi della Repubblica al largo e rese inizialmente difficile la scalata alle mura, ma alla forza dell'impeto offensivo giovò lo stratagemma di abbinare le navi in modo che opponessero maggiore resistenza alla corrente e alle armi avversarie. Un eroico veneziano, **PIETRO ALBERTI**, mise per primo piede sugli spalti nemici; seguirono gli altri e la strage impazzò tra il panico dei civili. I tesori d'arte sottratti alle molte distruzioni divennero oggetto di bottino, mentre le enormi ricchezze, accumulate nei secoli dal patriziato bizantino, valsero a ripagare i costi dell'impresa. Il doge di Venezia, cui tutti guardavano come a un trionfatore degno dell'onore del trono, deviò i favori dei suoi verso Baldovino di Fiandra, che il 10 maggio fu proclamato imperatore della Romania. Si procedeva intanto alla spartizione del bottino territoriale.

L'ultima fatica e la morte

La conquista di Costantinopoli non segnò la fine del dramma cominciato con la raccolta di uomini e mezzi a Venezia nell'estate del 1202: nuovi fatti seguirono per l'odio che prese a serpeggiare tra i Crociati al momento della ratifica della spartizione territoriale e per l'energia con cui i Greci, di recente assoggettati, si opposero ai vincitori.

ADRIANOPOLI, il capoluogo della TRACIA, si ribellò a Baldovino, che ne era divenuto re, e ottenne l'appoggio dei **Bulgari**, a loro volta alleati dei feroci **Cumani**, una popolazione barbara nota per l'indole bellicosa. Quando il loro sovrano cadde prigioniero del nemico e i cavalieri crociati sbandarono rovinosamente, ***il solo campo imperiale difeso dal Dandolo e da Goffredo di Villehardouin resistette all'assalto***. Con una memorabile cavalcata notturna, il doge novantenne riuscì allora a raggiungere il porto di RODORTO e a portare in salvo i superstiti del massacro; rien-

Miniatura medievale raffigurante una nave che trasporta i cavalieri crociati verso la Terrasanta.

Di incerta attribuzione, i cavalli bronzei, ospitati nella loggia della basilica di San Marco, facevano parte del bottino di guerra portato a Venezia a seguito della Quarta crociata.

trò quindi a Costantinopoli dove, consumato dall'età e dalle fatiche della guerra, morì nel giugno 1205. Il suo corpo fu seppellito nella chiesa di Santa Sofia entro un'arca in marmo decorata dalle insegne di san Marco e dal berretto ducale. Fu distrutta quando il tempio venne trasformato in moschea: ai tempi della conquista di Maometto II, le ceneri del doge andarono probabilmente disperse, giacché risulta poco credibile che siano state risparmiate dalle distruzioni che si accompagnarono alla caduta della città.

Del Dandolo, che la scritta nel cartiglio del ritratto di Palazzo Ducale ricorda quale doge di Venezia e dominatore di una parte della Romania, rimangono un sigillo esposto al Museo Correr e una corazza in ferro. Presso il **Tesoro di San Marco** sono conservate le reliquie del braccio di san Giorgio, della croce dell'imperatrice Maria e del sangue di Gesù che, si racconta, siano state fatte da lui trasferire a Venezia da Costantinopoli assieme a preziosi capolavori dell'arte bizantina.

Se è bene evitare di cadere nelle esagerazioni di chi guarda alle conquiste veneziane nel Levante come a un baluardo efficace nel contenere la spinta espansionistica turca fino a Lepanto, è necessario tuttavia riconoscere come, con la conclusione della Quarta crociata, ***Venezia*** raggiunse i propri scopi: per anni infatti ***si assicurò il monopolio commerciale nel bacino orientale del Mediterraneo***, fino a quando una nuova potenza rivale, la Repubblica di Genova, s'impegnò a contrastarglielo.

La fine del monopolio commerciale nel Levante

Il successore del Dandolo, il doge **PIETRO ZIANI** (1205-1229), che i cronisti ricordano per il grande senso di lealtà e saggezza, si limitò a lavorare per la conservazione dello *status quo* e non esitò a contrastare le mire dei Genovesi quando queste si appuntarono su CANDIA (l'attuale Creta) dove, proprio in quegli anni, s'insediò la prima colonia di Veneziani.

Si racconta che, di fronte alla decadenza della città natale, devastata da ricorrenti terremoti e dal ***fenomeno dell'acqua alta***, il doge propose il trasferimento della sede ducale a Costantinopoli; fortunatamente il Maggior Consiglio respinse il progetto.

Ai tempi del dogado dello Ziani, Venezia fu teatro del passaggio di san **FRANCESCO D'ASSISI**, che lasciò tracce di sé soprattutto nell'isola di San Francesco del Deserto. Ma la maggior fama di Pietro è da imputarsi all'ampliamento e all'abbellimento della **Pala di San Marco**.

JACOPO TIEPOLO (1229-1249) prese le parti della Lega Lombarda in lotta contro l'imperatore Federico II e si distinse nell'assedio a FERRARA, che guidò personalmente. Ai tempi del suo dogado rivolte antiveneziane infiammarono CANDIA, POLA e ZARA ma, nel Levante, il predominio commerciale della Repubblica si conservò saldissimo.

Protagonista di un leggendario sogno in cui avrebbe visto la terra coperta di rose, angeli e colombe, che gli dicevano che per volere di Dio doveva donare quel sito alla Chiesa, Jacopo Tiepolo donò ai Domenicani l'area su cui era la chiesetta di San Daniele perché vi fossero edificati la **chiesa e il convento**

La roccaforte di San Giovanni d'Acri, uno dei possedimenti crociati a nord del Regno di Gerusalemme.

La Scuola di San Marco in Campo Santi Giovanni e Paolo, dove fu trasferita nel Quattrocento. L'origine dell'istituto di carità che ospitava risale al 1260.

dei Santi Giovanni e Paolo, dove Jacopo stesso riposerà con il figlio Lorenzo.

La pace che contrassegnò il dogado di **MARINO MOROSINI** (1249-1253) fu bruscamente infranta da un'aspra **contesa con Genova** ai tempi del governo di **RENIER ZEN** (1253-1268).

Se infatti prima del 1250 la guerra tra le due città era stata rinviata in nome della comune avversione ai Pisani, pericolosi tanto nel Levante quanto nel Mediterraneo occidentale, la morte di Federico II e la crisi del partito ghibellino in Italia indebolirono l'insidia della città toscana che aveva militato tra le fila degli imperiali. Crebbe, in conseguenza, l'orgoglio commerciale dei Liguri.

Ad ACRI, l'uccisione di un genovese e il successivo saccheggio del quartiere veneziano scatenarono la **prima guerra veneziano-genovese**. Si combatteva con il pretesto del possesso della chiesa di San Sapa, ma la posta in gioco era più alta, come dimostrò il fatto che i Templari e i mercanti provenzali, oltre che i Pisani, si schierarono dalla parte della Repubblica di San Marco. Sebbene disponessero di più unità in mare, ***i Genovesi subirono una pesante sconfitta***, ma a tre anni di distanza (luglio 1261) i Veneziani ebbero a patire un rovescio non meno grave: ***l'impero latino e Costantinopoli caddero nelle mani di Michele Paleologo, nuovo imperatore greco.*** Ebbene, proprio il contrasto con Genova che, cominciato ad Acri, si

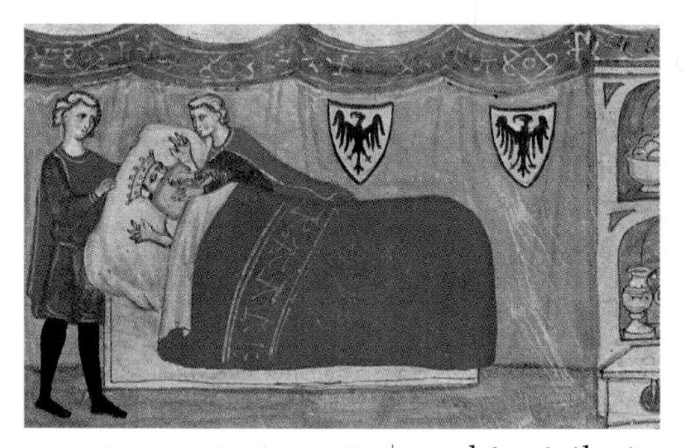

La morte di Federico II, che una leggenda ripresa da un'illustrazione della Cronica *di Giovanni Villani vuole sia stato soffocato dal figlio Manfredi, indebolì lo schieramento ghibellino in Italia.*

trasferì nei mari della Romania, impedì ai Veneziani di impiegare energie adeguate nell'azione di riconquista della città sui Dardanelli.

Il leone di San Marco vinse a SETTEPOZZI (1263) e a TRAPANI (1266), ma i costi della guerra navale con la rivale furono elevatissimi per la città lagunare che, con l'affermazione del Paleologo, aveva dovuto rinunciare ai molti privilegi ottenuti ai tempi della Quarta crociata e adesso per di più doveva fare i conti con le razzie genovesi.

Battuta definitivamente Pisa allo scoglio della MELORIA (1284), i Genovesi proseguirono lungo la via dell'espansione navale e commerciale. **La seconda guerra** contro Venezia iniziò nel 1295 e pose fine a una tregua che già frequenti atti di pirateria da entrambe le parti avevano tradito. Lo scontro decisivo avvenne nel 1294 presso la costa dalmata, al largo dell'isola di CURZOLA, dove le galere genovesi capitanate dall'ammiraglio **LAMBA DORIA** ebbero la meglio sui vascelli veneziani. La città ligure non seppe tuttavia sfruttare il vantaggio e di lì a poco **DOMENICO SCLAVO**, un oscuro pirata veneziano sopravvissuto al disastro della Curzola, portò l'attacco veneto al cuore stesso della Repubblica avversaria; si trattò di un'azione dimostrativa, ma che ebbe il merito di risollevare il morale degli sconfitti che riuscirono a sottoscrivere una pace onorevole. Negli stessi anni, d'altra parte, Venezia compensò la perdita del monopolio commerciale nella Romania grazie alla crescita contemporanea della produzione europea, che consentì l'accumulazione di ricchezze utili a pagare la seta e le spezie orientali. Venezia era al centro di questo traffico da cui gli aristocratici della laguna trassero grandi vantaggi: memorabili furono le feste organizzate in occasione della promissione ducale di **LORENZO TIEPOLO** (1268-1275) e non meno grandioso fu il torneo che per tre giorni, in piazza San Marco, oppose cavalieri friulani e veneziani.

Sotto il dogado di **GIOVANNI DANDOLO** (1280-1289) fu coniato il ducato d'oro o zecchino veneziano. Le guerre riprenderanno ai tempi del suo successore, **PIE-**

Nella prima metà del Duecento l'originario ponte di barche che collegava tra loro le rive del Canal Grande fu sostituito da un ponte di legno, che resistette fino all'inizio del Cinquecento, quando se ne ordinò la costruzione in muratura ultimata nel 1591. L'opera ultimata compare in questa Regata sul Canal Grande *di Francesco Guardi e in una fotografia dei nostri giorni.*

TRO GRADENIGO (1289-1311), il doge generalmente ricordato perché sotto il suo governo Venezia conobbe la riforma politico-amministrativa detta 'Serrata' del Maggior Consiglio (1297).

Il viaggio dei Polo

Proprio negli anni in cui Costantinopoli tornò a essere una città greca e Venezia perse il monopolio commerciale nel mare del Levante, i mercanti Niccolò e Marco Polo furono protagonisti del più famoso viaggio via terra che la storia ricordi: trovarono la via che da Laiazzo (nell'attuale Turchia), centro dei loro traffici abituali, li portò fino al Katai, il mitico regno del Kublai Khan, il re dei Tartari. Ne ritornarono pieni di tesori e di racconti cui la penna di Rustichello di Pisa diede enorme diffusione, facendo di Marco e della sua fama di viaggiatore soggetto di leggenda. Quel viaggio, che il ricordo del protagonista e il mestiere del romanziere hanno in parte trasfigurato, offrì al commercio veneziano nuove e ricche opportunità.

Le istituzioni della Repubblica

Palazzo Ducale. L'ingresso alla Scala d'Oro, spazio progettato da Jacopo Sansovino per mettere in collegamento il Palazzo di Giustizia con la residenza del doge.

Nel 1297 la 'Serrata' del Maggior Consiglio trasformò la più importante istituzione politica veneziana da elettiva in ereditaria, decretandone altresì l'allargamento numerico e facendola di fatto diventare l'espressione del governo aristocratico della città. Per comprendere le ragioni di tale evoluzione, nel quadro del processo storico che in Italia portò la classe dei nobili o magnati alla guida politica dei Comuni, è necessario ripercorrere in sintesi la storia delle istituzioni della Repubblica veneta che nel doge riconosceva la figura più rappresentativa.

In origine il potere del doge era limitato da quello della ***concio publica*** o assemblea popolare da cui era eletto e cui spettava l'approvazione della leggi fondamentali della Repubblica. Non bisogna tuttavia cadere nell'errore di tradurre l'aggettivo 'popolare' come 'del popolo'. Nel Medioevo «il termine si riferisce alla comunità, o almeno a tutta la parte laica della comunità stessa; e non necessariamente al 'popolo' in quanto distinto dalla 'nobiltà'» (Frederic C. Lane).

Insomma, riconoscere il potere della *concio* della Venezia delle origini non significa riconoscerle *tout court* l'esercizio del principio democratico della volontà della maggioranza. Assistito da un numero esiguo di dignitari civili con prevalenti competenze tecnico-giuridiche, il dogado che, nel tempo, anche se mai formalmente, si era trasformato in una carica ereditaria, tornò a essere elettivo quando, alla morte di **PIETRO I CANDIANO**, nell'889, il suo predecessore, **GIOVANNI II PARTECIPAZIO**, chiamato a ritornare al trono, abdicò senza indicare alcun successore. Poi, nel 1032, in seguito alla rivolta che rovesciò la 'dinastia' degli Orseolo (*vedi* p. 12), ***la tendenza a limitare i poteri del doge associandogli consiglieri che vigilassero su eventuali sue mire assolutistiche*** divenne una costante nella storia politica di Venezia che, in questo modo, senza dover ricorrere alla designazione di forestieri *super partes*, seppe sviluppare, in piena autonomia e responsabilmente, gli anticorpi efficaci a contrastare le degenerazioni indotte dai conflitti tra le fazioni. Intorno al 1143, secondo la tradizione al tempo del governo di **PIETRO POLANI** (1130-1148), venne istituito un 'consiglio di saggi' con funzioni legislative. Fu il primo passo verso l'istituzione di una **commissione ufficiale per la designazione dei dogi** (1172) che, per essere distinta dal 'consiglio minore' (i consiglieri che si accompagnavano direttamente al doge, cioè i capi dei se-

Visita del doge alla chiesa di San Rocco *del Canaletto*.

stieri cittadini e i procuratori), sarà detta **Maggior Consiglio**. Successive riforme fissarono il numero dei membri dei due consigli in rappresentanza dei sestieri cittadini, quindi si affermò la pratica della riunione congiunta dei consiglieri per deliberare su materie d'interesse comune e ***il Maggior Consiglio con il tempo si assicurò il monopolio delle decisioni più importanti***. Nel Duecento i poteri dell'assemblea popolare erano ormai ridotti alla ratifica e all'acclamazione, mentre il nobile consesso istituito per la scelta del doge deteneva, di fatto, tutto il potere: designava le più alte cariche della Repubblica, eleggeva i magistrati, proponeva le leggi e deliberava su amnistie e punizioni. Negli anni gli uomini che ne facevano parte erano aumentati per numero e avevano visto accrescere le proprie funzioni al punto che sorsero due assemblee di dimensioni più modeste, la **Quarantia** e il **Consiglio dei Rogati** o **Senato**, incaricate di agire rispettivamente in materia giuridico-finanziaria e amministrativo-commerciale.

Il Consiglio Ducale, il doge e i tre capi della Quarantia formavano il governo di Venezia, il solo organismo cui era consentito di durare a lungo, dal momento che per tutti gli

Nella pagina precedente: *il Ponte dei Sospiri che, nel Seicento, collegò il Palazzo Ducale con le prigioni nuove* (a fianco), *la cui costruzione fu resa necessaria per via del sovraffollamento dei Pozzi e dei Piombi, le vecchie carceri.*

altri incarichi vigevano i princìpi della **permanenza limitata nel tempo** e della designazione per **sorteggio**. L'acclamazione che, in tempi rapidi, seguiva alla scelta dell'uomo valeva a impedire che, facendosi propaganda, il candidato esasperasse le passioni delle parti. I rapporti di parentela tra candidati ed elettori erano motivo di esclusione dall'agone politico e, per evitare che il sangue di opposti schieramenti scorresse in città, i Veneziani inventarono una **procedura complicatissima per l'elezione del doge** che doveva essere il risultato di una soluzione visibile negli esiti, ma ingovernabile nei passaggi dell'operazione.

L'elezione del doge

Trenta elegge il Conseglio.
Questi eleggon quaranta;
Ma chi di lor si vanta
Son dodici che fanno
Venticinque: ma stanno
Di questi solo nove
Che fan con le lor prove
Quarantacinque a ponto
De' quali undici in conto,
Eleggon quarantuno,
Che chiusi tutti in uno
Con venticinque almeno
Voti, fanno il sereno
Principe che corregge
Statuti, ordini e legge.

Il Ballottino, qui ritratto in un'antica stampa, era il ragazzo incaricato di procedere all'estrazione delle 'ballotte' durante i complicati passaggi dell'elezione dei dogi. A elezione avvenuta, egli entrava a fare parte della loro corte: per questo diventare ballottino era per i Veneziani un incarico pubblico ambito.

I versi di questa canzone popolare spiegano con immediatezza e senza complicazioni argomentative i complessi passaggi dell'elezione del doge di Venezia così come fu definita per legge dal 1268 (tale, con poche variazioni, si mantenne fino al Settecento). Le operazioni di voto si compivano generalmente nello spazio di tre giorni, ma potevano protrarsi per un mese e avevano come teatro le sale più importanti del **Palazzo Ducale** (la **Sala delle Quattro Porte**, il **Collegio** e l'**Anticollegio**, la **Sala dei Pregàdi**), che per l'occasione erano isolate dal resto della residenza con tavole di legno. Il conclave si svolgeva in un'atmosfera da clausura, al punto che fino al 1700 i membri designati del Maggior Consiglio erano tenuti a provvedere da soli ai propri bisogni alimentari e al servizio; persino ***le vetrate era-***

no oscurate e protette per evitare che, affacciandosi, gli elettori fossero influenzati dalla vista di qualcuno. ***I verbali delle votazioni erano murati*** in un ripostiglio della Sala detta dei Presidenti e mai l'eletto avrebbe conosciuto il numero dei voti riportati. ***I bossoli per le votazioni erano posti in un'urna*** detta 'cappello' probabilmente perché in origine coincideva con l'oggetto in questione: si trattava di un vaso ricoperto di velluto cremisi in cui gli elettori deponevano palline di cera, terra o bronzo, generalmente argentate o dorate; da qui il modo di dire veneziano 'ha estratto la balla d'oro', intendendo 'ha avuto fortuna'.

La 'fumata bianca' era segnalata dal suono di un campanello cui seguiva la convocazione dell'arengo a Rialto, annunciata dal suono spiegato delle campane. Nel caso si trovasse fuori dal palazzo, il doge designato era convocato dal Cancelliere generale da cui riceveva il berretto; se era presente, la designazione avveniva immediatamente. Un sontuoso banchetto concludeva le cerimonie che precedevano l'**incoronazione** e la **promissione** ducale durante la quale, dopo avere risposto affermativamente a una formula rituale e sottoscritto un testo che regolava i suoi poteri, il doge, a bordo del 'pozzetto' (una portantina), sorretto a spalle dagli 'arsenalotti', girava per piazza San Marco e distribuiva denaro ai Veneziani. Il popolo era il destinatario dei primi due discorsi pubblici del neoeletto signore, prima in San Marco, poi nel cortile di Palazzo Ducale dove, finalmente insediatosi, il capo del governo della Repubblica si sentiva ricordare dal più anziano dei quarantuno elettori che lì (nella Sala del Piovego) il suo corpo sarebbe stato esposto dopo la morte e che, in considerazione di ciò, ***il suo operato avrebbe dovuto tenere conto della caducità delle azioni dell'uomo***. Seguivano colpi di cannone e scoppi di mortaretti e tre giorni di feste per i patrizi e per il popolo.

Tintoretto, *Le tre Grazie e Mercurio*. *L'opera fa parte della serie di dipinti dell'Anticollegio di Palazzo Ducale, uno dei teatri dell'elezione dei dogi e anticamera d'onore per le delegazioni straniere in attesa di essere ricevute.*

Il dogado di Pietro Gradenigo e la congiura Querini-Tiepolo

Attuata con il fine di rafforzare l'autorità del Maggior Consiglio e di soppiantare definitivamente il potere residuo dell'Assemblea popolare, la 'Serrata' del 1297 fissò che tutti coloro che fino a quel momento vi avevano preso parte, o ne erano stati membri negli ultimi quattro anni, vi avrebbero d'ora in poi partecipato per così dire d'ufficio, qualora contassero su almeno dodici consensi nella Quarantia. Altre candidature avrebbero dovuto essere presentate da una Commissione di tre membri, anch'essa soggetta all'approvazione della Quarantia. Quest'ultimo provvedimento, che conobbe in seguito un'evoluzione in senso restrittivo (nel 1323 fu approvata la norma secondo cui, per entrare nel Maggior Consiglio, bisognava vantare un antenato che avesse ricoperto un incarico pubblico), ebbe la conseguenza che alcuni popolani arricchiti di famiglie della 'vecchia' Venezia entrarono a fare parte del più importante organo politico cittadino. In questo modo, allargando il consenso a 'nuovi' nobili e riservando ai 'vecchi' l'ereditarietà dell'incarico, Venezia intese garantirsi la conservazione della pace sociale.

Fautore della riforma fu **PIETRO GRADENIGO** (1289-1311), arrivato al massimo onore a trentotto anni, già podestà di CAPODISTRIA e poco popolare presso i Veneziani che gli avrebbero preferito Jacopo Tiepolo, il figlio dell'amato doge Lorenzo.

Il suo governo fu agitato da gravi problemi di politica estera: la guerra contro FERRARA attirò a Venezia la **scomunica di Clemente V** e la 'Serrata' fu decisa proprio dopo la rovinosa battaglia contro i Genovesi al largo dell'isola di Curzola (*vedi* p. 34). Venezia fu allora teatro di una **congiura**, a testimonianza delle tensioni prodotte dalla riforma del Gradenigo che in alcuni alimentò ambiziosi progetti di un più radicale rivolgimento politico. **MARCO QUERINI**, membro di una delle famiglie cittadine più in vista, convinse il genero **BAIAMONTE** a farsi promotore di una congiura che, rovesciato il doge in carica, l'avrebbe portato a ricoprire l'incarico 'usurpato' da Pietro a suo pa-

Nella pagina a fianco: *sulla testa di Baiamonte Tiepolo, principale responsabile della cospirazione che sfociò nella congiura del 14 maggio del 1310, fu posta una taglia di duemila ducati, una cifra, per l'epoca, molto consistente. Il particolare del dipinto settecentesco di G. Bella raffigura gli scontri che caratterizzarono la sommossa.*

dre, Jacopo Tiepolo. All'epoca dell'occupazione napoleonica, i Francesi avrebbero fatto di Baiamonte un eroe della libertà contro l'assolutismo ducale; diversa è l'opinione della storiografia moderna che, pur riconoscendo al Tiepolo simpatie tra il popolo, vede nel suo tentativo l'obiettivo della costruzione di un potere signorile in grado, con il consenso del papa (i Querini appartenevano allo schieramento guelfo), di allineare Venezia agli altri poteri dell'Italia centro-settentrionale.

Il racconto leggendario del tumulto vuole d'altra parte che proprio una popolana, rovesciando dalla finestra un pesante vaso sulla testa del capostendardo del Tiepolo, abbia contribuito a sfaldarne le fila, assicurando ai partigiani del doge pieno successo nella repressione del moto. Il Querini morì negli scontri, il Tiepolo fu condannato all'esilio e affinché, fuori dalla patria, gli fosse evitato di riorganizzarsi, fu istituita una magistratura speciale, il **Consiglio dei Dieci**, con il compito di mettere in atto le sentenze relative agli esuli e di perseguitarli ovunque si trovassero.

Si dice che la famosa **regata veneziana** sia stata istituita proprio allora per distrarre il popolo da propositi di rivincita, ma nessun documento prova il presunto legame tra i congiurati e le corporazioni cittadine.

Pietro Gradenigo morì nel 1311, secondo alcuni vittima di un avvelenamento, secondo altri dopo lunga infermità; di lui si sa che era un uomo accorto, colto, fermo nel portare avanti le proprie decisioni e senza pietà verso gli avversari.

La terza guerra contro Genova. Andrea Dandolo

Il Palazzo Ducale di Genova.

La congiura Querini-Tiepolo aveva dimostrato come Venezia non fosse completamente immune dal clima di rivolgimenti politici che, nel Trecento, segnarono il declino dei liberi Comuni e il passaggio al regime delle Signorie. Nel XIV secolo, epoca di rivoluzionarie innovazioni nella tecnica della navigazione e nella pratica dei commerci, la stabilità del difficile equilibrio, raggiunto con la 'Serrata' del 1297, fu messa a dura prova dalla riproposizione del **contrasto con Genova** e dalla crisi economica aggravata dalle terribili conseguenze della **peste del 1347-1349**. In questi anni la popolazione veneziana, che l'estimo generale del 1379-1380 censirà a duemila famiglie, si ridusse di circa la metà, ma la peste non ebbe conseguenze solo demografiche: con la paura della morte si accentuò infatti la tendenza a ricercare soddisfazione immediata ad aspirazioni non sempre nobili e ciò contribuì a esacerbare passioni che, in periodi di maggiore tranquillità, erano rimaste nascoste.

Messa da parte l'idea di riconquistare Costantinopoli, la Repubblica tornò a offrire ai Greci i servigi della propria flotta: i nemici da cui guardarsi erano ora i **Turchi** e i **Genovesi**, i quali, nella zona degli stretti, godevano del vantaggio che derivava loro dal possesso della colonia di PERA, della fortezza di CAFFA e dell'isola di CHIO. Prima dello scoppio della **terza guerra veneziano-genovese** non mancarono occasioni di contrasto che minacciarono di sfociare in lotta aperta: i Genovesi, per esempio, non reagirono quando quaranta galere veneziane bloccarono per un certo periodo ogni scambio tra Pera e Caffa, vendicando in questo modo i danni arrecati dalla Superba con un attacco piratesco al largo di Laiazzo. La guerra scoppiò altrove, alla TANA che, boicottando un accordo sottoscritto in precedenza, i Veneziani attaccarono per sottrarla all'occupazione di un khan dell'Orda d'Oro. Il primo anno di guerra, il 1350, dimostrò quanto per Venezia le cose fossero cambiate rispetto al secolo precedente. ***Le decimazioni prodotte dalla peste costrinsero infatti il governo della Repubblica a ricorrere all'arruolamento di marinai mercenari*** e che questi ultimi fossero più interessati al bottino che ad altro fu evidente quando, al largo del NEGROPONTE, anziché inseguire le galere genovesi messe in fuga dopo un attacco, si attardarono a fare bottino su quelle catturate. La Commissione d'Inchiesta, istituita in città per fare luce sulla dinamica degli eventi, si limitò a chiarire l'inevitabilità di quel comportamento, da imputarsi ai numerosi uomini di varia nazionalità di cui il governo dogale aveva dovuto servirsi, pena la rinuncia alla guerra. Fu allora chiaro che Venezia doveva cercare alleati qualora avesse inteso riprendere la guerra contro Genova con qualche speranza di successo. Gli aiuti vennero dal **re d'Aragona** (che contendeva a Genova il possesso della SARDEGNA) e dalla stessa COSTANTINOPOLI; agli alleati Venezia offrì cospicue ricompense in denaro e ottenne in cambio di mettere insieme una flotta consistente (80-90 galere), grazie a cui contava di riuscire a bloccare definitivamente l'espansione territoriale e commerciale della Repubblica nemica. Nella sostanza, dai tempi della Quarta crociata, il rapporto tra Venezia e il mondo esterno si era capovolto: ***da dispensatrice di unità navali e di uomini, la città si era trasformata in alleata preziosa, ma bisognosa di forze che non era più in grado di mettere in campo***.

Veduta del Negroponte, oggi isola dell'Eubea.

Il piano di guerra prevedeva che la flotta genovese fosse attaccata al largo della SICILIA e in questo modo impedita di raggiungere l'EGEO, tuttavia qualcosa non funzionò: i

Oltre che contro i Turchi, che si affacciavano ormai minacciosi sul Mediterraneo orientale, il doge Francesco Dandolo (1329-1339) fu impegnato in una lunga e difficile guerra sulla terraferma. Sfidò le mire espansionistiche di Mastino della Scala, signore di Verona, e in ciò ottenne l'appoggio di Firenze, Milano, Mantova, Ferrara e del re di Boemia. La guerra si concluse felicemente per Venezia, che conquistò la Marca trevigiana. Nell'immagine la piazza delle Erbe a Verona, dominata dalla Torre del Gardello.

Genovesi batterono i rivali sul tempo e le cattive condizioni meteorologiche impedirono a questi ultimi di attaccarne la flotta al largo di Pera. La **battaglia del Bosforo** colpì profondamente gli osservatori contemporanei, che assistettero al massacro di migliaia di uomini. L'esito fu incerto fino alla conclusione quando, nonostante le ingentissime perdite di entrambi gli schieramenti, risultò evidente la vittoria dei Genovesi; ***i Veneziani e i loro alleati furono infatti costretti a ritirarsi***. Seguì (1353) una clamorosa affermazione del re d'Aragona ad ALGHERO, in Sardegna, pagata però al duro prezzo della ripresa degli scontri nell'Egeo e nell'Adriatico: a PORTOLUNGO le galere veneziane che, al comando di **NICCOLÒ PISANI**, avevano ricevuto l'ordine di non attaccare, furono sorprese dall'assalto dei Genovesi che le travolsero. Come già era accaduto in passato, tuttavia, la sconfitta non piegò Venezia né la costrinse a ripensare al proprio ordinamento costituzionale. La 'fortuna' arrise infatti ai Veneziani quando sottoscrissero trattative di pace che la contemporanea (anche se temporanea) ascesa di **GIOVANNI VISCONTI** a Genova rese più facili. Intenzionato a rafforzare la propria posizione nell'Italia del Nord, il nuovo signore di Genova infatti rinunciò a usare le maniere forti contro la città della laguna, alleata di **CARLO IV**, e nei fatti la contesa si risolse come se non fosse mai iniziata.

Il doge che ha legato il suo nome al decennio più tragico della storia veneziana (1343-1354) è **ANDREA DANDOLO**. Discendente di una famiglia che vantava illustri predecessori, arrivò al dogado non per meriti militari, ma per la straordinaria **sapienza giuridica**, che l'aveva condotto a ricoprire la carica di Procuratore di San Marco a soli ventidue anni. La vasta materia legale prodotta dal governo della Repubblica fu da lui pazientemente riordinata e la vicenda storica di Venezia fu rivista da un testimone d'eccezione. Negli anni in cui il consenso era messo a dura prova dalla crisi interna e dalle sconfitte contro Genova, l'opera del doge valse a fondare l'idea della 'missione' storica cui Venezia sarebbe stata chiamata dalla sua speciale posizione geografica, oltre che dalla natura speciale dei suoi abitanti; insieme popolo e nobili avrebbero contribuito a fare grande la città della laguna.

Stimato per i vasti interessi culturali, Andrea Dandolo fu amico del **PETRARCA**, con cui intrattenne corrispondenza. Famosa è la lettera in risposta all'accorato appello a mettere fine alla contesa con Genova, secondo l'umanista, insieme con Venezia il 'secondo occhio' di cui l'Italia non meritava d'essere privata.

Morì l'8 settembre 1354, all'età di quarantotto anni.

Francesco Petrarca, qui ritratto, intrattenne una corrispondenza epistolare con il doge Andrea Dandolo.

La leggenda dell'anello

Ai tempi del dogado di Bartolomeo Gradenigo (1339-1342), Venezia conobbe una delle più devastanti inondazioni della sua storia. Secondo la tradizione, la salvezza sarebbe venuta alla città dall'intervento miracoloso dei tre santi Marco, Niccolò e Giorgio: al culmine della tempesta, questi avrebbero preso posto nella barca di un povero pescatore e grazie al suo aiuto avrebbero affondato un'altra barca piena di spiriti malvagi, la cui ira stava per scatenarsi sulla laguna, che così sarebbe stata completamente sommersa. Compiuta la missione, i tre santi si sarebbero fatti riportare alle loro sedi, San Marco, il Lido e San Giorgio, e avrebbero fatto dono al pescatore di un anello da consegnare al doge. Si dice anche che l'anello fosse quello ritrovato al dito di san Marco quando lo scheletro del santo fu trasportato nella cripta intorno all'anno Mille. A ricordare il mitico salvataggio è un dipinto di Paris Bordone nelle Gallerie di Palazzo Ducale.

Marino Falier

La sconfitta di Portolungo gettò Venezia nello scompiglio: in molti ora si chiedevano se non fosse giunto il momento di rovesciare il governo dei nobili alla cui codardia e arroganza i più attribuivano la responsabilità della disfatta. Andrea Dandolo morì alla vigilia della sconfitta e, a succedergli, fu eletto doge un uomo che, già comandante di eserciti e di flotte, sembrava offrire garanzie di riscatto. Si chiamava **MARINO FALIER** (1354-1355) e sarebbe passato alla storia come il doge 'traditore', colui che si fece artefice del tentativo, fallito, di sostituire al governo repubblicano il comando assoluto di un **principe 'a bacheta'** (l'espressione deriva dalla cerimonia della consegna dello scettro ducale).

La notizia dell'elezione a doge raggiunse il Falier mentre era in missione diplomatica presso la corte pontificia di AVIGNONE; quello di ambasciatore era solo l'ultima di un'innumerevole serie di incarichi pubblici che egli aveva ricoperto al servizio della Repubblica. Appartenne persino al Consiglio dei Dieci, da cui, ironia della sorte, aveva ottenuto l'incarico di perseguire in ogni modo il congiurato esule Baiamonte Tiepolo (*vedi* pp. 42-43).

Marino era dai contemporanei stimato come un uomo colto e liberale, né pare fosse iracondo e bilioso come certe ricostruzioni postume e tendenziose vogliono farlo apparire. Sposò in prime nozze Tommasina Contarini e, alla morte di lei, si rimaritò con **ALUICA GRADENIGO**, la 'bela

Palazzo Ducale. Il ritratto ufficiale di Andrea Dandolo e il drappo nero che sostituisce l'immagine del traditore della patria, Marino Falier. La scritta recita: «Questo è lo spazio destinato a Marino Falier decapitato per via dei suoi crimini».

Gli ultimi momenti di Marino Falier raffigurati da Francesco Hayez.

moier', donna affascinante e di facili costumi, secondo la tradizione all'origine della beffa da cui sarebbe scaturita la congiura. Sembra certo che Aluica fu oggetto di scritte e di disegni ingiuriosi nella **Sala dei Camini** di Palazzo Ducale e che autore dell'offesa fosse, assieme ad altri, un certo **MICHELE STENO**, rampollo di una famiglia aristocratica ostile al doge. C'è da credere, tuttavia, che le ragioni del tentato colpo di mano siano state altre e, oltre che nel corso degli eventi italiani contemporanei (formazione di signorie e principati), devono essere ricercate nel clima di scontento prodotto dalla sconfitta di Pontelungo e dalla peste del 1348-1349. Non è un caso che Marino Falier fece parlare di sé quando assegnò quattro galere ad altrettanti comandanti di origine popolana; era infatti nei suoi propositi fare leva sul desiderio di riscatto del ceto 'industriale' veneziano, armatori e imprenditori che aspiravano a vendicare la sconfitta patita da Venezia per colpa dei nobili.

L'organizzazione della congiura ebbe come protagonisti due popolani, **BERUCCIO ISARELLO** e **FILIPPO CALENDARIO**, cui si unirono alcuni nobili. Le comunicazioni tra i cospiratori furono tuttavia fin dall'inizio confuse; i più non conoscevano neppure che al centro della macchinazione era il doge stesso, come provò l'inchiesta immediatamente avviata dai consiglieri ducali quando fu chiaro che qualcosa si stava tramando. La repressione scattò altrettanto immediata e, senza che potessero passare all'azione, i congiurati furono tratti in arresto e subito giustiziati; la stessa sorte toccò a Marino Falier, ***decapitato nel luogo stesso dove aveva giurato fedeltà alle istituzioni della Repubblica***. La testa mozza sarebbe stata esposta di lì a poco da uno dei balconi di Palazzo Ducale come quella di un traditore nei confronti del quale si era fatta piena giustizia: «Vardè tutti: l'è sta fatta giustizia del traditor». «Il corpo rimase esposto con la testa ai piedi tutto il giorno e la notte seguenti, su una stuoia, nella Sala del Piovego. Poi fu messo in una cassa e sepolto senza onori» (Andrea da Mosto).

La quarta guerra contro Genova e la riscossa di Venezia: Andrea Contarini

Giunone offre a Venezia il corno ducale *di Paolo Veronese.*

La confusione e i torbidi seguiti al fallimento della congiura di Marino Falier si accompagnarono al ripiegamento su posizioni difensive in politica estera. Negli anni che seguirono la terza guerra contro Genova, Venezia cedette la DALMAZIA al re **LUIGI D'UNGHERIA**, perse importanti posizioni a CIPRO e, a CRETA, fu costretta a fronteggiare una rivolta guidata, oltre che da locali, da nobili veneziani incaricati del governo dell'isola. Il debito pubblico aumentò e il peso delle imposizioni fiscali gravò sempre più pesantemente sulle classi medie, impedite ora di accedere al Maggior Consiglio per via dell'innalzamento di barriere, che riservarono l'accesso ai soli esponenti delle famiglie nobili. ***Il Senato e il Consiglio dei Dieci accrebbero i propri poteri*** testimoniando come l'oligarchia repubblicana fosse ormai espressione di una ristrettissima cerchia di cittadini. Venezia, tuttavia, dimostrava una continuità politica invidiabile rispetto a Genova, travagliata da ripetute contese intestine, e ciò le consentiva, nonostante i tracolli militari, di continuare a contrastarle la superiorità commerciale.

Nel Mar Nero, il possesso dell'isoletta di TENEDO, in posizione strategica rilevantissima per assicurare la continuazione dei traffici commerciali con TREBISONDA, che già risentiva negativamente delle lotte interne alla Persia, s'affermò come il nuovo motivo della contesa veneto-genovese e, quando i Veneziani si videro 'aprire le porte' dal locale governatore greco, la guerra tra le Repubbliche rivali tornò a insanguinare i mari.

Nel corso della **quarta guerra genovese**, Venezia affrontò uno dei momenti più terribili della sua storia: ***per mare e sulla terraferma la Repubblica dei dogi fronteggiò la più importante coalizione di forze rivali che fino a qui l'avesse sfidata.*** L'attacco fu portato al cuore stesso della città che, sconfitta per mare a POLA (1378), si trovò accerchiata dalle truppe del re d'Ungheria e dei **CARRARA** di PADOVA, alleati con Genova. Venezia cominciò allora a scarseggiare di viveri e, mentre CHIOGGIA cadeva nelle mani dei nemici (1379), l'ingresso del Lido di San Niccolò fu barricato con lunghi ponti di navi per scongiurare il peggio. In questo momento di grande pericolo per la sopravvivenza della Repubblica i nobili ottennero nuovamente il consenso del popolo, cui fecero promesse per l'immediato futuro e che, al presente, accontentarono con la liberazione dal carcere di **VITTORE PISANI**, l'amato comandante della flotta sconfitta a Pola, si mormorava, per le contraddittorie indicazioni strategiche del gruppo maggiorente.

Come già ai tempi di Enrico Dandolo, un doge ottuagenario, **ANDREA CONTARINI** (1368-1382), guidò la città a una reazione unitaria e vittoriosa. Era diventato doge dieci anni prima e così malvolentieri che pare avesse dovuto essere minacciato del bando e della confisca dei beni qualora avesse rifiutato l'incarico. Un altro racconto ricorda come una sera il giovane Andrea, sul punto di sedurre

Il Canale della Giudecca, teatro dell'addestramento navale che precedette l'assedio e la presa di Chioggia.

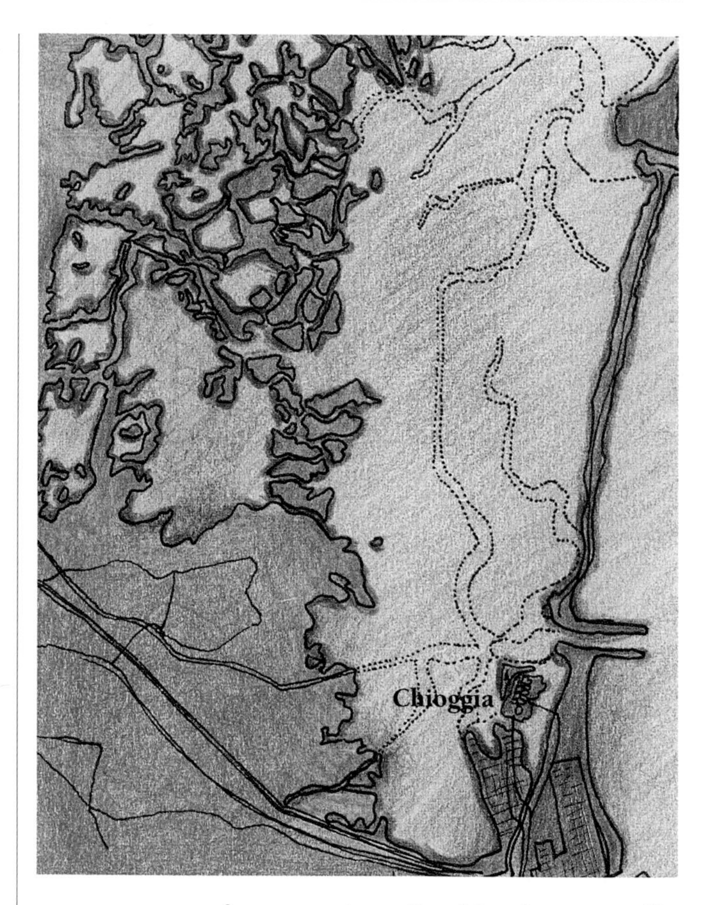

Nella cartina, la laguna veneta e Chioggia.

una monaca, ne fosse stato impedito dal vedere un anello al dito di lei. La donna rivelò allora ad Andrea che lo portava per essere sposa di Cristo e questi ne fu così turbato da sottrarsi all'amplesso con un pretesto. Passato poi davanti a un Cristo crocefisso, si racconta che quello chinò il capo in segno di riconoscenza nei suoi confronti e che, la notte seguente, apparsogli in sogno, preannunciò ad Andrea il dogado e il suo aiuto nella più difficile prova che Venezia avrebbe dovuto affrontare dalle origini della sua storia.

Trentaquattro galere furono messe insieme con grande sacrificio e il doge in persona assistette all'addestramento dei rematori costretti ogni giorno a percorrere il CANALE DELLA GIUDECCA fino al LIDO e a ritornare là da

In precedenza proprietà degli Angioini di Napoli, nel 1386 Corfù, di cui l'immagine raffigura uno scorcio della costa nord-occidentale, divenne stabilmente veneziana.

dove erano partiti. L'attacco ai Genovesi asserragliati a Chioggia fu lungo e difficile e solo grazie alla caparbia ostinazione del Contarini, che poté confidare sulla perizia dei due comandanti Vittore Pisani e **CARLO ZENO**, si risolse favorevolmente per Venezia. La battaglia, in cui il ricorso alla polvere da sparo, utilizzata dai cannoni montati su castelli di prua delle galere, ebbe una parte importante, si concluse nel giugno 1380 con la resa della città. Il successivo **trattato di Torino** (1381) dimostrò quanto la Repubblica della laguna fosse arrivata stremata al tavolo delle trattative, nel corso delle quali dovette rinunciare tra l'altro alla fortificazione di Tenedo, ma la sua stessa sopravvivenza in condizioni difficilissime costrinse la città a reagire per recuperare le posizioni perdute. Il Maggior Consiglio fu allargato con l'immissione di trenta nuove famiglie e l'attivismo diplomatico di fine Trecento compensò la debolezza militare. Il controllo sul Basso Adriatico fu rafforzato dall'acquisto di CORFÙ, mentre in Asia le vittorie di **TAMERLANO** ritardarono la conquista turca di Costantinopoli, consentendo ai Veneziani di continuare proficui commerci intorno al Mar Nero. Sulla terraferma i Carrara di Padova furono sconfitti grazie all'alleanza con Gian Galeazzo Visconti e la Dalmazia tornò nell'orbita di Venezia.

La guerra contro Milano e Francesco Foscari

Lo sviluppo della manifattura rese Venezia più dipendente dalla terraferma di quanto fosse stata in passato: di qui provenivano infatti le materie prime necessarie ad alimentare le produzioni tessili e metallurgiche, oltre che i cantieri navali. Per questo motivo la minaccia della costruzione di compagini statali, più estese di quelle che fino a qui avevano dominato l'Italia centro-settentrionale, fu, nel Quattrocento, avvertita come un attentato alla libera circolazione delle merci: Venezia avrebbe dovuto scongiurarla se voleva evitare di finire accerchiata. «Parve ad alcuni che per Venezia il modo migliore di evitare che altri alterassero l'equilibrio a suo danno fosse di alterarlo lei a proprio favore»(Frederic C. Lane). In questo quadro si collocò la rivalità con gli **SCALIGERI** di VERONA e con i **CARRARA** di PADOVA, entrambi vinti.

Il maestoso portale dell'Arsenale introduce in uno dei complessi storici di Venezia: il luogo adibito al riparo e alla costruzione delle sue leggendarie imbarcazioni.

La guerra contro Padova, condotta con inaudita ferocia (i Carraresi fatti prigionieri furono tutti strangolati per decisione del Consiglio dei Dieci), segnò l'avvicinamento di Venezia a **GIAN GALEAZZO VISCONTI**, signore di MILANO, intenzionato a espandersi territorialmente. Provvidenzialmente per gli incauti alleati la peste del 1402 ne bloccò le aspirazioni, ma la minaccia si ripresentò quando, nel 1423, **FILIPPO MARIA VISCONTI** restaurò l'onore del casato. Le sue prime mire si appuntarono sulla ROMAGNA, con grave preoccupazione dei Fiorentini cui, influenzato dalle teorie degli 'umanisti civili', il doge **FRANCESCO FOSCARI** (1423-1457) incominciò a guardare favorevolmente.

Prima di morire, il suo predecessore, **TOMMASO MOCENIGO** (1414-1423),

Sotto: l'Assunta di Tiziano Vecellio nella chiesa di Santa Maria Gloriosa dei Frari e, a fianco, *un'immagine della facciata dell'edificio, pantheon delle glorie della Serenissima. Vi riposano, tra le altre, le spoglie del doge Francesco Foscari, adagiato su un baldacchino contornato da un drappo. Due guerrieri che recano lo stemma della famiglia ne tengono, ai lati, i lembi.*

aveva redatto un testamento politico nel quale, descrivendo le prospere condizioni in cui il suo dogado lasciava la Repubblica, suggeriva l'atteggiamento da tenere nell'immediato futuro. Il vecchio doge intese in particolare modo dissuadere coloro che pensavano di arricchirsi con le guerre in Lombardia, da lui definita uno splendido giardino fiorito, alle cui ricchezze i Veneziani potevano continuare ad attingere, se solo avessero evitato di distruggerle. Preannunciava infine rovine per la patria nel caso in cui gli elettori avessero scelto a suo successore Francesco Foscari, dipinto come un uomo senza giudizio, «che dise busie et anche molte cose senza alcun fondamento, et sora et vola più che non fa i falconi». Ha osservato il Cessi: «Era la voce di una generazione che si era accostata ai nuovi ideali per impulso irresistibile della necessità delle cose, ma non aveva rinunciato al tradizionale pregiudizio della politica di isolamento. Essa era convinta di avere ormai assicurato la stabilità e la grandezza della potenza marittima della patria, di avere

risolta la crisi del retroterra con l'annessione delle province limitrofe, e di poter contenere nel loro ambito l'onere di intervento continentale».

Arrivato al dogado quale espressione del partito dei patrizi, che sosteneva la politica dell'espansione dello Stato in Italia, Francesco Foscari seppe conquistare i Veneziani grazie alla simpatia e alla vivacità dell'eloquio. Aveva una memoria così salda che in città salutava per nome tutti i nobili che aveva incontrato anche una volta sola; la forza del ricordo gli impedì di dimenticare l'astio della famiglia Loredan, la quale contro la sua aveva sostenuto la candidatura di Pietro ed era uscita battuta dalla contesa.

Erasmo da Narni detto il Gattamelata (in questa pagina) *e Bartolomeo Colleoni* (nella pagina a fianco). *Impegnato nella realizzazione della statua equestre di quest'ultimo, Verrocchio abbandonò polemicamente l'opera iniziata quando venne a sapere che un altro artista aveva ricevuto lo stesso incarico. Minacciato di condanna a morte dall'autorità dogale, lo scultore tornò al lavoro e si vide raddoppiare il compenso.*

Le profezie del vecchio Tommaso Mocenigo si avverarono in larga parte: ***i trentaquattro anni del dogado di Francesco Foscari furono funestati da numerose guerre, tra cui quella contro Milano fu la più importante***. In nome della lotta ai Visconti, Venezia trascurò la difesa del proprio impero marittimo e quando, alla morte del doge, si constatò che la minaccia turca si era fatta più vicina, molti ripensarono con tardivo rimpianto che gli oneri della guerra contro Milano avevano pesato eccessivamente rispetto ai risultati conseguiti.

La conquista veneziana di BRESCIA e BERGAMO spinse il Visconti all'alleanza con il re di Napoli, mentre gli Stati pontifici dell'Italia centrale si schieravano dalla parte della coalizione fiorentino-veneziana. Per contrastare il controllo milanese del PO e dell'ADIGE, Venezia approntò un tipo particolare di galeone realizzato per le battaglie fluviali, perse sul GARDA, ma poi riuscì a liberare Brescia dall'assedio di Filippo Maria. Il ricorso a condottieri mercenari divenne una costante nella strategia militare della Repubblica che, se non dubitò della fedeltà di **ERASMO GATTAMELATA** e di **BARTOLOMEO COLLEONI**, non esitò a giustiziare il **CONTE DI CARMAGNOLA**, caduto in sospetto per l'inerzia dimostrata dopo le battaglie di Bergamo e Brescia e le contemporanee trame intessute con il suo 'ex datore di lavoro', il signore di Milano.

All'avvento alla guida della città ambrosiana di **FRANCESCO SFORZA**, i maggiorenti veneziani condizionarono l'alleanza con la neonata Repubblica milanese alla cessione di città come LODI e PIACENZA, dove rivolte antiviscontee avevano espresso la volontà di accordo con i Veneti. Milano considerò la proposta come una provocazione e la guerra riprese fino a quando, nel 1454, per intervento della mediazione papale, la **pace di Lodi** sancì la temporanea tregua tra gli Stati italiani al fine di fronteggiare adeguatamente il pericolo turco. Negli stessi anni Francesco Foscari, scampato a un attentato alla propria vita e oggetto dei continui attacchi del partito avversario, fu costretto all'**abdicazione forzata** per decreto del Consiglio dei Dieci, che così intese sostituirgli una persona più capace per condizioni fisiche e lucidità mentale. La morte avvenuta di lì a poco dimostrò come quest'onta avrebbe potuto essergli risparmiata; la salma del doge fu seppellita tra la commozione generale nella chiesa dei Frari, in un sepolcro collocato alla sinistra dell'*Assunta* del **TIZIANO**.

L'espansionismo in Italia bloccato dall'avanzata dei Turchi

A destra del dipinto di Giovanni Bellini, Maometto II, il conquistatore di Costantinopoli.

L'espansionismo veneziano in Italia fu pagato al caro prezzo del rafforzamento, nella penisola e fuori, della rivalità di chi intendeva contrastare alla Serenissima la 'monarchia d'Italia'. Questo sogno, che la ricerca della supremazia su Milano aveva sembrato per un certo periodo alimentare, tramontò perché Venezia si trovò contemporaneamente nella necessità di contrastare l'attacco più massiccio che i Turchi avessero fino a qui sferrato contro i suoi interessi marittimi.

Nel 1453, a seguito di preparativi che l'Occidente sottovalutò, COSTANTINOPOLI cadde nelle mani di **MAOMETTO II**, il giovane sultano dei Turchi. La città, che aveva per secoli resistito come ultimo baluardo orientale dell'Impero romano, divenne il centro propulsore della nuova costruzione politica ottomana. Nella fase più cruenta dello scontro molti mercanti occidentali lì residenti parteciparono alla difesa della città: tra questi erano in grande numero i Veneziani che sacrificarono a questa causa la propria vita. Per la Serenissima il colpo fu molto duro e, se in un primo tempo fu attutito dalla conferma degli accordi commerciali siglati in precedenza con i Greci, la situazione non tardò a peggiorare. La morte prematura di **PIO II**, che con energia si era dedicato all'organizzazione di una crociata antiturca, costrinse Venezia ad affrontare da sola una guerra rovinosa anche per il debole appoggio offerto dagli altri Stati italiani. Nel 1470 i Turchi conquistarono il NEGROPONTE, quindi la loro cavalleria percorse la DALMAZIA e il FRIULI, portando il pericolo dell'assedio così vicino alla città da indurla alla firma dell'accordo (1479) con cui rinunciava all'Eubea, a SCUTARI (Albania), ad alcune isole dell'Egeo e si umiliava a versare un'ingente somma di denaro per continuare a godere dei privilegi commerciali nei mari del Levante. Unica consolazione venne da Cipro, dove la Repubblica sostenne con successo l'avvento al trono della veneziana **CATERINA CORNER**.

La seconda metà del Quattrocento fu caratterizzata dal governo di personalità piuttosto incolori e nell'insieme poco incisive, qualora si consideri la breve durata dei loro incarichi. Alla morte di Francesco Foscari, seguì il dogado di **PASQUALE MALIPIERO** (1457-1462), così poco significativo che in proposito si scrisse: «No fu fatta in suo tempo cosa degna di memoria». Il suo successore, **CRISTOFORO MORO** (1462-1471), morì «con pessima fama de tristo, ipocrita, vindicativo, duplice et avaro et è stà malvogiudo dal popolo. In so tempo la terra ha sempre habu spesa, guerre e tribulation». Ai tempi di **NICCOLÒ TRON** (1471-1473), il cui monumento sepolcrale nella chiesa dei Frari è uno dei migliori esempi veneziani di arte rinascimentale fu varata la riforma monetaria che promosse, tra l'altro, il conio della lira d'argento detta *trono*. **GIOVANNI MOCENIGO** (1478-1485) mise fine alla guerra con i Turchi, ma fu travolto dalla ripresa delle ostilità in Italia: combatté contro il duca di FERRARA e per questo fu colpito dall'interdetto pontificio. Riuscì ad aggiungere ai suoi domini di terraferma il POLESINE, ma fu costretto a fronteggiare due gravi calamità: un'epidemia di peste e un rovinoso incendio che distrusse buona parte di Palazzo Ducale. I lavori di ricostruzione iniziarono subito dopo e a essi diede particolare impulso **AGOSTINO BARBARIGO** (1486-1501), doge ambizioso e impopolare al punto che, alla sua morte, una lunga inchiesta, istruita dai Correttori della Promissione ducale e dagli Inquisitori del doge defunto (allora per la prima volta istituiti), provò come non avesse esitato a servirsi dei pubblici poteri per arricchire la sua famiglia.

Ritratto da Tiziano Vecellio, il doge Niccolò Marcello (1473-1474) fu amatissimo dai Veneziani, che ne apprezzarono le doti di instancabile lavoratore e oratore eccellente.

La disfatta di Agnadello e la difficile ripresa. Leonardo Loredan e Andrea Gritti

Nel 1492 la morte di **LORENZO IL MAGNIFICO**, 'ago della bilancia' della politica italiana, segnò la fine della pace diplomatica seguita agli accordi di Lodi e la ripresa delle rivalità italiane. La situazione si era tuttavia modificata rispetto al passato e, quando le armate del re di FRANCIA **CARLO VIII** percorsero la penisola dirette verso NAPOLI, risultò drammaticamente evidente quanto la minaccia della sudditanza allo straniero fosse vicina. Gli eventi precipitavano intanto anche sui mari dove, nello IONIO, i Veneziani affrontarono i Turchi nella sfortunata battaglia dello ZONCHIO (1499) e persero le piazzeforti greche di MODONE e CORONE, considerate di grande importanza per le rotte verso il Levante.

L'abilità dei diplomatici della Serenissima che, giocando sulle rivalità tra gli avversari italiani ed europei, era riuscita a strappare rilevanti concessioni a proprio vantaggio sembrava ora vacillare sotto i colpi inflitti al suo potere marittimo e terrestre dai forti vicini. Ai tempi della formazione della **Lega di Cambrai**, che vide la riunione di quasi tutti gli europei contro di essa, Venezia si trovò ad affrontare un altro tragico momento della sua storia, per la complessità dei fronti su cui combattere e la minaccia dell'accerchiamento, simile a quello vissuto ai tempi della guerra di Chioggia (*vedi* p. 51). **GIULIO II** che, alla morte del figlio Cesare Borgia, aveva male tollerato le mire espansionistiche venete ai danni della ROMAGNA, ebbe buon gioco nello scatenare contro la Serenissima i potenti alleati.

Gli Stati italiani, l'Impero, la Francia e la Spagna schierarono contro Venezia un poderoso esercito che ad AGNADELLO (14 maggio 1509), nella Ghiara d'Adda, subì una sconfitta clamorosa. **LEONARDO LOREDAN** (1501-1521), che in quei tristi frangenti reggeva l'autorità dogale, fu costretto a rinunciare a tutti i domini sulla terraferma, ma la funesta eventualità di un assedio diretto alla

Nella pagina a fianco: *il doge Leonardo Loredan ritratto da Giovanni Bellini.*

città fu scongiurata e il doge tornò a sorridere quando, dopo qualche mese, le insurrezioni delle città di recente assoggettate dimostrarono quanto il governo dei Veneziani fosse preferibile alla sudditanza a Francesi e Tedeschi. Alla difesa di PADOVA contro le armi dell'imperatore **MASSIMILIANO** parteciparono in massa i nobili veneti comandati dai due figli del doge, che solo dalla tarda età fu sconsigliato dal prendervi parte. Il mutamento di clima politico si confermò durante il breve dogado dell'ottuagenario **ANTONIO GRIMANI** (1521-1523): il papa e il re di Spagna si allearono contro la Francia, e Venezia, con l'appoggio di quest'ultima, recuperò BRESCIA e VERONA. Ma il doge che meglio seppe gestire la 'ricostruzione' seguita alla disfatta di Agnadello fu il grande principe **ANDREA GRITTI** (1523-1538). Bello e intelligente, era cresciuto alla scuola del nonno, ambasciatore presso le principali corti europee. Ne aveva ricavato un'approfondita conoscenza delle lingue oltre che modi affabili e cortesi che gli conquistarono le simpatie di molti capi europei e perfino del sultano turco. Combatté strenuamente per la difesa di Padova e lavorò per il recupero della terraferma; nella guerra contro la Lega di Cambrai diede prova di tale eroismo che, si dice, ad Agnadello riuscì a salvare lo **stendardo di san Marco**, poi esposto, lacero e semibruciato, per lungo tempo nella chiesa dei Santi Giovanni e Paolo. L'abilità nell'arte di cavalcare lo portò a essere paragonato al console romano Fabio Massimo, mentre l'abitudine di dividere il rancio con i soldati e quella di dormire sulla nuda terra gli procurarono le simpatie delle truppe. Eletto doge non seppe tuttavia suscitare tra il popolo il consenso che meritava: i Veneziani non apprezzarono la sua superbia, né considerarono per quanto valeva l'attenzione da lui dimostrata per la sistemazione della materia fiscale. Alla fine del suo dogado nuove nubi si addensarono sul destino di Venezia, convinta dal suo Senato ad affrontare un'altra guerra contro i Turchi.

Un difficile equilibrio

La flotta islamica all'attacco del porto di Rodi in una miniatura della Biblioteca Nazionale di Parigi.

Tra il Quattrocento e il Cinquecento l'affermazione dei Turchi nel bacino orientale e meridionale del Mediterraneo prese il ritmo di un'espansione continua e inarrestabile. Caddero dapprima la SIRIA e l'EGITTO (1517), fu poi la volta di RODI (1522) e di ALGERI (1529); la sola SPAGNA di **CARLO V**, erede degli Asburgo oltre che sovrano delle terre del Nuovo Mondo, fu allora in grado di allestire una forza navale in grado di contrastare la potenza ottomana. Venezia, «stretta tra i due giganti che le erano cresciuti accanto» (Frederic C. Lane), fu nuovamente costretta a giocare la carta della conservazione di un **difficile equilibrio**: solo dall'alleanza con il potente europeo la Serenissima poteva sperare di ricavare aiuto contro i Turchi, ma la ricerca di tale strategia non avrebbe dovuto apparire un segno di debolezza: in questo caso infatti Carlo V, l'autore del Sacco di Roma del 1527, non avrebbe esitato a coltivare il progetto di annettersi la prestigiosa città lagunare.

In questi anni i viaggi transoceanici e l'apertura di nuove rotte commerciali verso le Americhe e l'Oriente costrinsero i Veneziani a intensificare gli sforzi per conservare una posizione importante come crocevia di scambi. Circumnavigata l'Africa e raggiunte le Indie, per altra via rispetto a quella battuta dai tempi della spedizione dei Polo, i **Portoghesi** contrastarono efficacemente alla Repubblica di

La raccolta del pepe in un'immagine del Quattrocento. Il prezzo di questa spezia, il cui commercio era stato a lungo materia di compromesso tra i Veneziani e i sultani che la importavano dall'India, subì un forte rialzo sul finire del secolo, in concomitanza con la guerra tra i Turchi e la Repubblica

San Marco il monopolio del commercio delle spezie e della seta che, in abbondanza e a prezzi contenuti, affluirono sulle piazze europee. Venezia, tuttavia, resistette alla concorrenza, si batté per la difesa dei fondachi del Levante, ***si convertì verso altri prodotti*** (il pregiato cotone cipriota e i dolci vini di Malvasia delle isole greche), sostituì alle galere di un tempo caracche e galeoni con grande capacità di carico e inaugurò vivaci rapporti commerciali con i porti atlantici favoriti dalle scoperte.

La prosperità economica di cui l'Europa godette nella prima metà del XVI secolo ebbe conseguenze benefiche sull'attività manifatturiera veneta che, sollecitata dalla domanda del mercato continentale, ricevette impulso all'intensificazione e alla specializzazione della produzione. Lo sviluppo dell'industria vetraria e dell'editoria a stampa confermarono quanto il progresso tecnico, unito alla qualità, consentisse di produrre beni di prestigio anche in posizione periferica rispetto ai centri attivi del continente. Venezia insomma si adoperò per evitare l'isolamento cui l'evoluzione storica sembrava condannarla. L'elevato tenore di vita dei suoi abitanti, le spese e il lusso che invano una severa **legislazione suntuaria** cercarono di contrastare, la magnificenza dei suoi palazzi testimoniavano una persistente vitalità contraddetta da qualche segnale che, proprio sul mare, là dove la città era divenuta grande, dopo Lepanto, cominciò a manifestarsi.

Lepanto: il capolavoro di Sebastiano Venier

Nel corso del Cinquecento, pur disponendo di flotte militari più imponenti e attrezzate che in passato, Venezia si trovò a dovere accettare il ruolo subordinato che la 'necessaria' alleanza con la Spagna di Carlo V e di **FILIPPO II** le assegnava. Dopo l'umiliante sconfitta nella battaglia di PREVESA, a seguito della quale la Serenissima perse ogni residuo dominio nelle isole dell'Egeo e nella parte settentrionale di Creta, Venezia subì lo scacco di CIPRO, dove NICOSIA e FAMAGOSTA caddero sotto le armi di **SELIM II**, il successore di Solimano il Magnifico; quindi partecipò alla formazione della **Lega Santa**, che la vide alleata dello Stato della Chiesa, della Spagna e di Genova, nel tentativo di bloccare l'avanzata degli infedeli; infine collaborò alla gloriosa impresa di LEPANTO (1571), che bloccò l'avanzata turca nel Mediterraneo, ma poco giovò alle sue fortune marittime.

Tra gli artefici del successo ci fu il capitano generale *de mar* **SEBASTIANO VENIER**, futuro doge (1577-1578). Di lui si è detto che non possedeva la perizia tecnica necessaria a ricoprire un incarico così prestigioso e in un tale frangente, ma nessuno dubita del valore che nel corso del combattimento dimostrò e pretese dai suoi uomini.

La battaglia di Lepanto vide impegnate più di cinquecento navi negli opposti schieramenti. Gli sconfitti ne persero circa centottanta, i morti e i prigionieri furono ventimila.

Risale agli anni della gloriosa epopea di Lepanto questo Paradiso *di Jacopo Tintoretto al Louvre. Il dipinto, di cui è qui riprodotto un particolare, è per impostazione e soggetto molto simile a quello eseguito nel 1590 per la Sala del Maggior Consiglio di Palazzo Ducale.*

«A voi destinato capitano, ma esibitomi sempre fido compagno, sarò tale in qualsiasi cimento, estraneo solamente nelle spoglie, nei premi e nelli applausi, ma insolubil nell'opra, nell'obbligo, nei rischi et nel paterno amore»: così, secondo un cronista, li avrebbe arringati alla vigilia dello scontro nel quale si attenne ai consigli del 'secondo' **AGOSTINO BARBARIGO** e alle direttive impartite dai comandi supremi alleati. È invece dubbio se alle sue esitazioni o ai desideri avversi degli Spagnoli, contrari a un rafforzamento eccessivo della città lagunare, si dovette l'incertezza della sua condotta navale dopo la sconfitta inflitta ai Turchi, quando, con il favore della stagione, la flotta veneta avrebbe potuto garantirsi condizioni più favorevoli in vista della firma degli accordi di pace.

Al suo ritorno in città, Sebastiano Venier fu accolto con l'esultanza dovuta a un trionfatore: anche per questo ***fu grande la delusione che si accompagnò alla stipulazione della pace***, in quanto a Venezia vennero imposte la rinuncia a Cipro e altre onerose concessioni ai nemici e agli alleati.

Contro il parere del Venier, che, si racconta, arrivò al punto di promettere la cessione del suo cospicuo patrimonio pur di riprendere la guerra contro i Turchi, l'accordo fu accettato dall'allora doge in carica, **ALVISE I MOCENIGO** (1570-1577).

Ai tempi della sua brillante carriera diplomatica, Carlo V, nel riceverlo come ambasciatore, ne aveva ricavato un'impressione così positiva da nominarlo cavaliere e conte palatino dell'Impero. Pare che l'imperatore fosse stato in particolare colpito dalla sua **abilità retorica** che glielo fece paragonare al grande oratore greco Demostene. Nel suo discorso di saluto al popolo, in occasione della promissione ducale, aveva promesso benessere e giustizia e l'aveva esortato alla resistenza nella guerra contro i Turchi. La delusione seguita a Lepanto fu aggravata da altre **calamità**: una grave **pestilenza** nel 1575, le ricorrenti **inondazioni**, nonché il disastroso **incendio** del Palazzo Ducale. L'immagine della grandezza di Venezia, capace di reagire anche alle circostanze più avverse, apparve peraltro splendida in occasione della visita ufficiale del re di FRANCIA e di POLONIA, **ENRICO III**. Per la circostanza, solenni festeggiamenti sottolinearono l'evento, ricordato

Il doge Pietro Loredan, ritratto da Jacopo Palma il Giovane, nell'atto di supplicare la Vergine perché metta fine alla carestia di cui la città fu vittima negli anni del suo governo e le assicuri la vittoria contro i Turchi.

da un affresco del Vicentino nella Sala delle Quattro Porte e da un regalo prezioso che il re di Francia fece al doge: un anello con diamante incastonato in un giglio d'oro, poi raccolto nel Tesoro di San Marco. Sembravano lontani i tempi in cui **MARCANTONIO TREVISAN** (1553-1554), doge noto per l'integrità morale e la fervida devozione, aveva vietato balli, feste, commedie e altre forme di divertimento, causa, secondo lui, del degenerare dei costumi cittadini, ma le sorti della guerra per mare sollecitavano alla prudenza. Era ora necessario deviare altrove che non nei commerci con il Levante la ricerca di fonti per alimentare una prosperità cui la Repubblica di San Marco non intendeva rinunciare. I **possedimenti terrieri** nell'entroterra tornarono a essere oggetto dei desideri dell'aristocrazia lagunare, l'accrescimento dei poteri del Senato, ampliato con l'inclusione del Consiglio dei Quaranta o Quarantia criminale, fu funzionale a difendere la costituzione contro il dilagare della **corruzione politica**.

Sebastiano Venier, l'eroe di Lepanto, riposa nella chiesa dei Santi Giovanni e Paolo (nell'illustrazione). *L'edificio ospita le tombe di venticinque dogi e con Santa Maria Gloriosa dei Frari è il migliore esempio di gotico sacro veneziano.*

Attento alla cronaca minuta e addentro alle complicate trattative che si accompagnavano a ogni elezione per avervi più volte partecipato personalmente, nella sua *Vita dei dogi* **MARINO SANUDO** descrisse con imparzialità i maneggi relativi alla scelta del capo della Repubblica. Se, come aveva sostenuto nel suo trattato **GASPARE CONTARINI**, il sistema politico veneziano aveva saputo suscitare la meraviglia dei contemporanei per la capacità di armonizzare le tre forme di governo, teorizzate dagli antichi in una costituzione mista, nel XVI secolo, questo sistema mostrava qualche segnale di cedimento e l'incapacità della Repubblica di adeguare le proprie istituzioni ai nuovi tempi fu forse la prima ragione del suo declino.

L'interdetto

Il teologo Paolo Sarpi, coraggioso sostenitore delle ragioni di Venezia contro la Chiesa di Roma ai tempi dell'interdetto.

Circondata dai colossi austriaco e spagnolo e preoccupata dalla possibilità che i Turchi, impegnati a Oriente contro la Persia, tornassero a guardare all'Occidente, sul finire del Cinquecento Venezia fu nuovamente costretta a una **difficile neutralità**. Infrangerla avrebbe significato infatti alimentare l'aspirazione asburgica al congiungimento dei propri domini che la Repubblica di San Marco divideva. Rafforzare i possedimenti dell'entroterra in funzione difensiva fu in questo periodo la necessità più avvertita dall'aristocrazia lagunare, impegnata nello stesso tempo a fronteggiare la crisi economica che la concorrenza del commercio transoceanico aggravava. «L'interesse europeo per le spezie in generale e per il pepe diminuì, mentre aumentò quello per lo zucchero, il tabacco, il caffè, che viaggiavano sulle rotte oceaniche. Alla fine del secolo la flotta degli Stati italiani rappresentava solo il sette, otto per cento dell'intera flotta europea, contro il ventisei per cento circa dell'Inghilterra e il diciassette per cento dell'Olanda» (M.Vasconi). La stagnazione della vita politica sembrò vacillare quando la città fu interessata all'affermazione di raggruppamenti in cui gli storici hanno identificato forme embrionali di **partiti**. Da una parte erano i **'giovani'**, uno schieramento vivace e aperto, interessato a correggere l'oligarchia al potere e alla discussione di ciò che di nuovo veniva da Paesi come la FRANCIA, l'OLANDA, l'INGHILTERRA. A questi ultimi essi guardavano quali possibili alleati contro la supremazia asburgica e per compensare il favore di cui gli Asburgo godevano presso la Curia pontificia. Dall'altra parte erano i '**vecchi**', maggiormente propensi alla prudenza e favorevoli a una politica di saggia distanza dai potenti vicini, meno inclini alla polemica anticlericale e antipontificia per via dei numerosi benefici ecclesiastici di cui la loro ricchezza era fatta.

In questi anni il **'ridotto' Morosini** ospitò la scienza di **GALILEO GALILEI** e la retorica argomentativa di **PAO-**

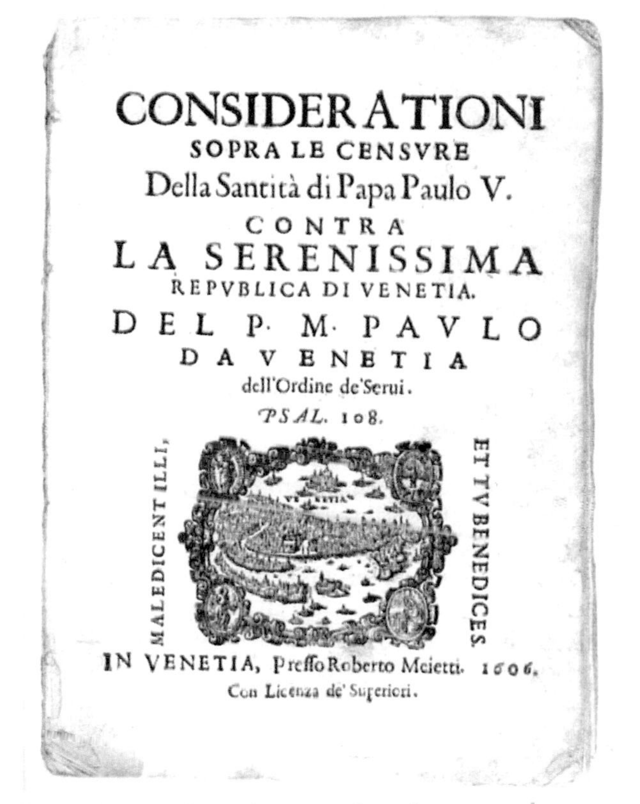

CONSIDERATIONI
SOPRA LE CENSVRE
Della Santità di Papa Paulo V.
CONTRA
LA SERENISSIMA
REPVBLICA DI VENETIA.
DEL P. M. PAVLO
DA VENETIA
dell'Ordine de'Serui.
PSAL. 108.
MALEDICENT ILLI, ET TV BENEDICES.
IN VENETIA, Presso Roberto Meietti. 1606.
Con Licenza de' Superiori.

Oltre alla Storia dell'Interdetto, *scritta tra il 1607 e il 1610, ma pubblicata postuma nel 1624 e all'*Istoria del Concilio di Trento, *edita nel 1619 a Londra sotto falso nome, Paolo Sarpi pubblicò numerose opere a carattere pubblicistico. L'immagine riproduce il frontespizio di una di queste.*

LO SARPI; in tale ambiente culturale maturò la saggezza giuridica di **LEONARDO DONÀ** (1606-1612), il doge che osò sfidare la Santa Sede ai tempi dell'interdetto pontificio.

Il conflitto risaliva ai primi anni del Seicento. Nel 1605, estendendo ai domini della terraferma una tradizione giuridica prima limitata alla laguna, Leonardo ***ordinò l'arresto di due sacerdoti*** che, secondo l'autorità religiosa, avrebbero dovuto essere giudicati da un tribunale ecclesiastico. In quegli stessi anni furono altresì emanati provvedimenti che intaccavano la libertà della Chiesa relativamente all'acquisto e al possesso di proprietà fondiarie. L'allora pontefice **PAOLO V** rispose con energia: ordinò che la Repubblica di San Marco revocasse le decisioni prese rimettendosi alla legge canonica; in caso contrario ne avrebbe scomunicato i governanti e avrebbe colpito la città di **in-**

Il doge Leonardo Donà (a destra) *e il papa Paolo V* (nella pagina a fianco), *avversari ai tempi dell'interdetto.*

terdetto, il che equivaleva a negare validità a qualsivoglia funzione religiosa si celebrasse sul suo territorio.

Il neoeletto doge, il leader dello schieramento dei 'giovani', chiamato a dirimere la controversia, fu Leonardo Donà. Si era formato alle università di PADOVA e di BOLOGNA, dove alla passione per gli studi di filosofia morale aveva unito un solido interesse per quelli politici. La sua cultura era vasta: conosceva alla perfezione le opere degli storici e degli oratori dell'antichità. Ne aveva derivato un **forte senso dello Stato** che intendeva difendere con dignità e abnegazione. Conversatore brillante, Leonardo Donà aveva trovato nel teologo Paolo Sarpi il proprio interlocutore privilegiato. Sinceramente devoto alla religione, era incline a non confonderla con la ragione di Stato, che intendeva suo dovere sostenere qualora le armi

I sudditi si conservino fedeli alla Repubblica

Di modo che, essendo stata ingiusta e nulla la fulminazione del pontefice, segue in conseguenza che a necessaria difesa l'impedimento, che la Republica ha posto alla publicazione et essecuzione, sia stato giusto e legitimo. Et i sudditi fedeli della Republica, e più di ogni altro gli ecclesiastici, doveranno quietare l'animo e le conscienze loro, attendendo al servizio divino, sotto la protezzione del prencipe, e creder fermamente che lo Spirito Santo è stato promesso e dato a tutti li fedeli, tra' quali lo stesso Cristo è presente quando sono congregati in nome suo.

Da *Considerazioni sopra le censure della Santità di papa Paolo V contra la Serenissima Republica di Venezia* di Paolo Sarpi.

del potere spirituale minacciassero di costringerla a rinunciare alle proprie prerogative.

La forte personalità del doge guidò una contesa che, per il sapore della ***sfida aperta all'autorità del papa***, attirò su Venezia l'attenzione di tutta Europa. L'applicazione dell'interdetto fu efficacemente contrastata dall'adozione di severe misure di polizia ai danni degli ecclesiastici disobbedienti ai voleri della Repubblica, ma un'eco ancora maggiore ottennero le sottili argomentazioni giuridiche in forza delle quali il Sarpi riuscì a dimostrare come la misura pontificia fosse illegittima e come, per contro, la reazione delle autorità veneziane trovasse piena giustificazione nel diritto. Il braccio di ferro si protrasse per un anno e, dopo che alcuni ordini religiosi, tra cui i **Gesuiti**, furono espulsi dalla città, si raggiunse un accordo diplomatico e ***il pontefice revocò l'interdetto***: Venezia non aveva riconosciuto alcun errore nella gestione della faccenda e l'ostinazione con cui aveva resistito alla Curia romana fu intesa come una vittoria del principio laico della sovranità. Il senso del dovere di Leonardo Donà e la sapienza giuridica di Paolo Sarpi avevano trionfato, ma la breve stagione dei 'giovani' al potere era vicina al tramonto.

La 'congiura degli Spagnoli'. Niccolò Contarini e la peste del 1630

Dopo il dogado di Leonardo Donà, Venezia conobbe i governi di **MARCANTONIO MEMMO** (1612-1615), **GIOVANNI BEMBO** (1615-1618), **NICCOLÒ DONÀ** (1618) e **ANTONIO PRIULI** (1618-1623) e l'emergenza della guerra sui mari tornò a ripresentarsi assieme a un clima di torbidi politici che la congiura del 1618 dimostrò essere interesse dei rivali alimentare. Stanca della neutralità e desiderosa di assumere un ruolo propositivo tale da liberarla, almeno psicologicamente, dal peso dell'accerchiamento asburgico, la Repubblica di San Marco giocò la carta dell'attacco dei territori dell'arciduca austriaco, colpevole di assicurare protezione ai famigerati **pirati uscocchi** che infestavano le rotte adriatiche. Dopo la conquista turca dei BALCANI, essi si adoperarono con ogni mezzo nella lotta contro i nuovi dominatori, alimentando nella zona una condizione di guerriglia permanente che si manteneva grazie al bottino conseguito attraverso azioni di pirateria. Negli anni precedenti lo scoppio del conflitto, crudeltà inusitate furono commesse da entrambe le parti, fino a quando agli attacchi delle basi navali uscocche Venezia decise di accompagnare l'assedio alle roccaforti austriache di GORIZIA e di GRADISCA. Sostenitore dell'iniziativa fu il provveditore al fronte **NICCOLÒ CONTARINI** (1630-1631), uomo tenace nell'impresa militare quanto Leonardo Donà lo era stato nella battaglia delle leggi. Dopo un periodo di stanca degli eserciti, egli riuscì a capovolgere le sorti del conflitto a favore di Venezia e a concludere, grazie alla mediazione spagnola, una

Il monumento sepolcrale barocco del doge Giovanni Pesaro (1658-1659).

I palazzi Mocenigo e Contarini sul Canal Grande.

soluzione soddisfacente. Con gli accordi di MADRID del 1617, Venezia ottenne che l'Austria s'impegnasse a trapiantare gli uscocchi nella CROAZIA e a bruciarne le navi. Ancora una volta le circostanze avevano favorito le mire della Serenissima, visto che, impegnati contro i Savoia, gli eserciti spagnoli in Italia si erano rivelati poco inclini a sostenere la difesa dell'arciduca austriaco.

Conclusa la battaglia contro gli uscocchi, Venezia si trovò a dovere affrontare un'altra guerra, quella contro il viceré di NAPOLI, il **DUCA DI OSSUNA**. Amico di poeti e letterati del suo tempo, il nobile spagnolo coltivava il progetto ambizioso di rafforzare la forza navale iberica nell'Adriatico, contrastandovi lo strapotere turco e veneziano. Per questo, nel 1617, arruolò una flotta composita e mercenaria (pirati uscocchi e di Ragusa vi presero parte in grande numero) e impegnò i Veneziani in una serie di scontri che li misero in seria difficoltà. La situazione fu rovesciata grazie al contributo offerto da INGHILTERRA e OLANDA all'armamento di nuove galere, che infine riuscirono a imporre il ritorno allo *status quo*. Sembra tuttavia che l'Ossuna abbia giocato un ruolo importante nell'organizzazione della '**congiura degli Spagnoli**', che scosse Venezia nella primavera dell'anno successivo.

Le cause del moto rimangono in parte avvolte nel mistero: sembra però provato che a fomentarlo siano stati i molti soldati mercenari, di varia nazionalità, che la Sere-

nissima aveva dovuto assoldare per fare fronte ai recenti impegni militari. Ebbene, la tradizione vuole che fossero capeggiati da un corsaro che aveva militato nella flotta del viceré di Napoli e che del piano fosse stato informato l'ambasciatore spagnolo a Venezia, il **BEDMAR**, insieme con alcuni stretti collaboratori. Come si capisce, non esistevano prove dirette della responsabilità dell'Ossuna nel complotto e d'altra parte le stesse autorità cittadine dubitarono persino del coinvolgimento del Bedmar, contro cui, ad azione sediziosa fallita sul nascere, nessuno fu in grado di formulare precisi capi d'accusa. Corse voce in città che, traditi dalla delazione di un francese, ***i capi della congiura furono strangolati*** per decisione del Consiglio dei Dieci, quindi gettati nel Canal Orfano, dove erano soliti finire i giustiziati per tradimento verso la fedeltà allo Stato.

Nella prima metà del Seicento, Venezia sembrava avere ripreso capacità d'iniziativa nella politica internazionale e

La chiesa della Salute, capolavoro barocco di Baldassarre Longhena. L'edificio fu realizzato per volontà del Senato veneziano, che in questo modo decise di ringraziare la Vergine per la fine della terribile epidemia di peste del 1630. Lo vediamo raffigurato in primo piano (nella pagina precedente) *e sullo sfondo della* Regata in Canal Grande *dipinta da un seguace del Canaletto e custodita al Museo Correr* (a fianco).

aveva respinto il pericolo di un nuovo attacco alla propria costituzione, ma il mutamento dello scenario europeo le avrebbe riservato nuove amarezze e delusioni. La FRANCIA del cardinale **RICHELIEU** tornò a proporsi come temibile rivale alla supremazia spagnola in Italia e la propensione che essa inizialmente dimostrò all'alleanza con Venezia si rivelò ben presto strumentale e fallace. I massacri della guerra dei Trent'anni insanguinarono l'Europa e la partecipazione della Repubblica di San Marco alla **guerra per la successione al Ducato di Mantova** si concluse con un fallimento. Oltre a questo scacco, il doge Niccolò Contarini, il filosofo e l'eroico provveditore che, contro gli Austriaci, era stato il primo a superare il fiume Isonzo, in cui chi lo precedeva aveva trovato la morte per affogamento, dovette affrontare il flagello della **peste**. L'epidemia del 1630, di cui l'arte manzoniana ha reso celebri le tragiche conseguenze, ridusse la popolazione della laguna da 150 000 a 100 000 anime e produsse danni altrettanto gravi sulla terraferma. Il doge «morì, per quanto scrive un cronista, più per mali morali che per mali fisici, vedendo a causa del contagio compromessa tutta la pubblica amministrazione. Cominciò a sentirsi male il 18 gennaio del 1631, ma continuò a intervenire nelle pubbliche funzioni ed a ricevere fino a tre giorni prima della sua morte, che avvenne alle ore 7 del 2 aprile. Venne sepolto privatamente a Santa Maria Nova, e non vennero fatti i solenni funerali a causa della peste» (A. da Mosto).

Due patrizi a confronto: Ranieri Zen e Giovanni Corner

Magistratura tra le più antiche della Repubblica, quella dell'Avogadria era composta da tre membri designati dal Maggior Consiglio, incaricati di provvedere alla corretta applicazione delle leggi. I tre avogadri, che qui vediamo ritratti da Pietro Uberti, sostenevano la parte della pubblica accusa nei processi.

La **crisi economica** colpì l'Europa intorno agli anni Venti del XVII secolo e fu avvertita pesantemente a Venezia, che risentiva sempre più negativamente della concorrenza commerciale straniera; qui crisi significò diminuzione del traffico delle merci in entrata e uscita dalla città, crollo delle entrate doganali e stagnazione della produzione manifatturiera. Persino tra le fila dell'oligarchia aristocratica al potere venne allora allargandosi la forbice tra nobili ricchi e nobili poveri; il clima politico tornò a deteriorarsi e la risposta delle autorità fu un ulteriore irrigidimento nella difesa di una struttura che stabilità e permanenza nel tempo sembravano indicare come un bene da conservare. La polemica contro l'eccessiva ricchezza di alcuni e il sospetto che questa si fosse costituita grazie a una gestione poco specchiata della cosa pubblica alimentarono gli attacchi di **RANIERI ZEN** al doge **GIOVANNI I CORNER** (1625-1629).

Il predecessore di Niccolò Contarini poteva vantare l'appartenenza a una delle famiglie più illustri della laguna, quella che alla Repubblica di San Marco aveva recato in dono il possesso dell'isola di CIPRO. Della casata, che aveva la sua maestosa residenza in un fastoso palazzo a San Polo, avevano fatto parte quattro dogi, sette cardinali, quattro vescovi, quattro procuratori di San Marco e vari cavalieri. Non c'era dunque da stupirsi se godesse di un alto senso della propria superiorità e se, nella scelta dei matrimoni da contrarre, i suoi membri si fossero nel tempo ben guardati dal mescolarsi con nobili di rango inferiore.

Anche Ranieri Zen era un nobile e apparteneva a un'antica famiglia, ma, quanto a ricchezza, non era in grado di contrastare l'opulenza del doge e della sua corte. Mosso da risentimenti personali, oltre che politici (denunciò infatti gli abusi dell'oligarchia dominante che, severa verso gli altri, a sé perdonava con eccessiva facilità abusi e mollezze), ***si scagliò contro l'avidità del doge e della sua famiglia***, accusata di avere costruito la propria fortuna ai danni dello Stato che invece impoveriva. Lo Zen ottenne grandi simpatie tra i nobili del suo livello, e dai membri del Maggior Consiglio fu eletto rappresentante nel Consiglio dei Dieci. Questi, tuttavia, votò contro la sua ammissione e decretò per lui la pena dell'**esilio**. Il bando sarebbe stato poi revocato, ma la reazione dei maggiorenti al potere aveva avuto il tono di una punizione esemplare.

Sembra che la famiglia Corner, esasperata dagli attacchi dello Zen, che nonostante l'accaduto non cessarono, non riuscendo a colpirlo in forza della legge, assoldò dei **sicari** per eliminarlo fisicamente. Da questi, secondo alcuni cronisti, il rivale del doge fu ferito gravemente mentre era in attesa della sua gondola presso il Palazzo Ducale. La macchinazione omicida non bastò tuttavia a fare tacere la voce di chi, per breve tempo, si era sentito paladino del bene pubblico contro gli sperperi dei governanti. ***La proposta di una riforma politica***, sostenuta dalla polemica dello Zen, ***fu accantonata***, nella convinzione che la sua **stabilità** fosse la dimostrazione migliore della bontà del regime veneziano.

Canaletto, Il bacino di San Marco, verso est. *L'opera è conservata presso il Museum of Fine art di Boston.*

Francesco Morosini, il 'peloponnesiaco'

A settant'anni circa dalla battaglia di Lepanto, Venezia, che sconfiggendo gli uscocchi e l'Ossuna (*vedi* pp. 72-73) aveva confermato il proprio dominio sull'Adriatico, ***affrontò nuovamente i Turchi***. Accusati di mancato rispetto dei trattati internazionali, che imponevano loro di proteggere i commerci dagli attacchi pirateschi, e sospettati invece di sostenerli contro la Dominante, i Turchi subirono il bombardamento della fortezza di VALONA (1638). Impegnato contro la PERSIA, il sultano non reagì, ma quando, sei anni dopo, i Cavalieri di Malta attaccarono un convoglio ottomano diretto verso La Mecca e, sorpresi da una tempesta durante il ritorno approdarono sulle coste di CRETA, i Turchi approfittarono dell'incidente per fare valere il proposito d'impossessarsi dell'isola. Il caso sembrò allora sfavorire i Veneziani, che governavano su Candia da quattro secoli e in passato si erano battuti per sedare le numerose rivolte, ispirate dalla tenace ricerca dell'autonomia delle popolazioni locali. ***Perdere Creta avrebbe significato rinunciare a un importantissimo centro di controllo del commercio*** verso l'Adriatico: la reazione alle quattrocento navi turche che nel 1644 diedero inizio all'assedio fu durissima.

Bassorilievo raffigurante un leone all'ingresso dell'Arsenale. Le due statue leonine che, ai lati, stanno a guardia furono trasferite a Venezia dalla Grecia. La tradizione vuole che una delle due ornasse una fontana del porto ateniese del Pireo.

Contemporanea a manovre militari terrestri, che garantirono a Venezia il controllo di quasi tutta la DALMAZIA, la guerra di Creta si protrasse per ventiquattro anni e, nonostante i contributi offerti alla Repubblica dagli Stati europei, che all'impresa guardarono come a una nuova crociata, ***la città dei dogi fu infine costretta alla resa***.

Il comando supremo della flotta veneziana fu inizialmente affidato al doge **FRANCESCO ERIZZO** (1631-1646), che, nonostante gli ottant'anni, non si sottrasse all'incarico. Risultò ben presto evidente, tuttavia, che l'età e le deboli forze fisiche non erano adeguate a sostenere la missione con la dovuta energia. Altrettanto sfortunata fu la scelta di **FRANCESCO MOLIN** (1646-1655): anche lui sarebbe diventato doge, ma, nominato provveditore generale *da mar*, non poté neppure raggiungere Creta perché vittima, durante il viaggio di trasferimento, di un grave attacco di podagra. Ai tempi del dogado di **CARLO CONTARINI** (1655-1656) la situazione migliorò grazie alla clamorosa vittoria nella **battaglia dei Dardanelli**, definita da qualcuno la più terribile disfatta subita dai Turchi dopo Lepanto. Gli sconfitti, però, non si diedero per vinti e la guerra continuò con grandi sacrifici dei Veneziani che, per trovare i fondi necessari alla sua prosecuzione, furono indotti a iscrivere nuove famiglie nelle file del patriziato; dietro esborso di ducati, s'intende!

Nel 1669 il capitano generale veneziano **FRANCESCO MOROSINI** (1688-1694) concluse un accordo con i Turchi: Venezia rinunciava a Candia, che la tenace risposta all'assedio ottomano non era riuscita a salvare; in cambio conservava il possesso di alcune isole dell'Egeo e si vedeva riconosciute le recenti conquiste territoriali in Dalmazia. Criticato per avere accettato le dure condizioni della pace con i Turchi o ingiustamente accusato di non avere

Alessandro Piazza,
La partenza di Francesco Morosini dal bacino di San Marco per il Levante *(Sala Morosini di Palazzo Correr).*

Sala dello Scrutinio di Palazzo Ducale: La Morea soggiogata *di Gregorio Lazzarini.*

profuso le energie necessarie alla difesa dell'isola, Morosini divenne l'uomo del momento. Esperto di storia, di nautica e soprattutto di arte della guerra, fin da ragazzino era solito disprezzare le gare letterarie predilette dai compagni, al punto che un giorno, al padre che gliene aveva chiesta la ragione, aveva risposto: «Con simili battaglie, nessuna città si prende». Conclusi gli studi, si dedicò alla carriera militare navale che lo tenne occupato per tutta l'esistenza e in cui ricoperse tutti gli incarichi, da nobile di galera fino a capitano generale. Partecipò attivamente alla guerra di Creta, prima sul mare, poi a terra, dove, in qualità di provveditore generale, ricevette l'incarico di provvedere alla difesa dell'isola. A distanza di quindici anni dalla resa di cui si è detto, rieletto capitano generale, fu alla testa della rapida e **grandiosa riscossa** che consentì a Venezia, alleata in una nuova Lega Santa con il papa, l'Austria, la Polonia e la Russia, di riconquistare la MOREA e le isole dello Ionio. In particolare nella presa della base di CORONE spiccarono le grandi doti tattiche e strategiche del Morosini, insignito da quel momento dell'appellativo di '**peloponnesiaco**'. **MARCANTONIO GIUSTINIAN** (1684-1688), che a quei tempi reggeva le sorti del dogato, finì invece con l'essere soprannominato 'l'uomo del *Te deum*', tante furono le solennità religiose celebrate in città per festeggiare le vittorie greche. Addobbi di vario genere, mortaretti e luminarie rallegrarono i sestieri cittadini: la GIUDECCA fu percorsa da una cavalcata in costume alla cui testa era un sostituto del Morosini seguito dai capi della flotta. Ma nei festeggiamenti si distinsero soprattutto gli Ebrei: le case del ghetto furono colorate da tappeti e damaschi appesi ai davanzali delle finestre.

Francesco Morosini ottenne adeguati riconoscimenti pubblici ai suoi grandi meriti militari, divenne cavaliere di San Marco, procuratore e infine doge. Il suo governo brillò meno di quanto forse ci si aspettava: il nuovo signore non seppe rinunciare all'ambizione, al fasto e al lusso e in feste grandiose sperperò molto denaro pubblico. La sua incoronazione fu accolta dal giubilo generale dei Veneziani, che si riversarono in piazza San Marco ornata per l'occasione riccamente con archi trionfali. Generale fu la mestizia all'annuncio della sua morte: scomparvero le maschere e gli intrattenimenti carnevaleschi in corso, mentre il corpo del doge, posto su un enorme catafalco, ricoperto con un mantello da generale e ornato con i trofei delle sue imprese, veniva trasferito nella chiesa dei Santi Giovanni e Paolo.

Quanto alle conquiste territoriali da lui conseguite e ratificate dalla **pace di Karlowitz** del 1699, con il tempo si rivelarono meno importanti di quanto il forte valore simbolico dell'impresa che le aveva consentite lasciasse credere. La Morea era «un territorio vasto, ma purtroppo ormai impoverito e spopolato, nel quale Venezia intervenne con investimenti notevoli, che non si rivelarono tuttavia del tutto produttivi anche perché la popolazione locale non era disponibile ad accettare i modelli organizzativi della città lagunare» (M.Vasconi).

Sopra: *un abitazione del ghetto di Venezia. Presenti in città dal XIV secolo, gli Ebrei vi godettero, nonostante la segregazione e il coprifuoco notturno, una certa libertà d'azione. La comunità ebraica partecipò festosamente, insieme con gli altri abitanti della laguna, alle celebrazioni per le vittorie del Morosini.*

A fianco: *un tratto della costa della regione greca del Peloponneso, detta Morea ai tempi della conquista veneziana.*

Il doge come un re

La guerra contro i Turchi aveva aggravato la crisi economica della Repubblica di San Marco che, per fare fronte al vertiginoso incremento delle spese militari, aveva dovuto aumentare il peso delle **imposte dirette e indirette**. Ciò non era bastato tuttavia ad arginare il **debito pubblico**. Nel Settecento la scelta della neutralità armata nei confronti delle guerre che opponevano i Borboni agli Asburgo non fece che allargarlo. Durante la **guerra per la successione spagnola** (1701-1714) la città lagunare si trovò nella necessità di contrastare il passaggio di eserciti delle parti in lotta nei suoi domini di terraferma e subì in più di un'occasione la violazione dei trattati internazionali, che prevedevano il divieto di transito delle rotte commerciali adriatiche. L'affermazione dei porti di TRIESTE e di ANCONA, oltre al rafforzamento della roccaforte di RAGUSA, decretarono in questi anni ***la fine della signoria veneziana sull'Adriatico***. A ciò si aggiunga che nel 1718, dopo quasi cinque anni di guerra con l'Impero ottomano, ***la città perse il possesso del Peloponneso***. Eccezione fatta per un'azione vittoriosa contro i pirati barbareschi e TUNISI (1780), Venezia, che per un momento nell'eroismo dell'ammiraglio **ANGELO EMO** trovò l'occasione per sperare nella propria rinascita, visse una situazione di inquieta tranquillità, da cui l'invasione francese l'avrebbe bruscamente scossa.

Le personalità che nel XVIII secolo si succedettero al dogado sono passate alla storia per lo sfarzo della corti e l'enorme impiego di pubblico denaro, finalizzato a sostenere una politica che solo nel mecenatismo e nel lusso era ormai capace di trovare ragioni di giustificazione. Ogni progetto di riforma del Consiglio dei Dieci e dell'istituzione degli Inquisitori dogali fu allonta-

Joseph Heintz il Giovane, Festeggiamenti per il Carnevale veneziano. *Il giovedì grasso piazza San Marco era teatro della tradizionale caccia ai tori e ai porci inseguiti da cani aizzati. Altro momento tipico del Carnevale veneziano sei-settecentesco era la 'momaria', una rappresentazione teatrale mista di mimica e danza con prevalente soggetto mitologico.*

nato come pericolosa minaccia alla segretezza ritenuta, secondo l'oligarchia al potere, la garanzia che «contribuiva a mantenere la fama di Venezia quale dispensatrice di una giustizia uguale per tutti». La fortuna pubblica dei membri delle famiglie dell'aristocrazia si giocò allora sul prestigio internazionale: proprio nel momento in cui la Repubblica di San Marco sembrava avere rinunciato a esercitare un ruolo attivo nella politica europea, i suoi dogi vantarono illustri **carriere di ambasciatori**. La città della laguna conobbe in questo secolo una straordinaria **fioritura delle arti**; nuovi palazzi sorsero sulle rive del Canal Grande, la piazza San Marco fu lastricata e si fabbricò un nuovo bucintoro, le commedie di **CARLO GOZZI** e di **CARLO GOLDONI** conobbero una fortuna internazionale, così come le musiche di **ANTONIO VIVALDI** e le avventure sentimentali di **GIACOMO CASANOVA**.

Nei secoli XVII e XVIII crebbe il numero delle famiglie di origine mercantile che chiesero e ottennero, dietro esborso di ingenti somme di denaro, di entrare nel novero delle casate nobili. Per dare sfoggio della nuova dignità, furono edificati splendidi palazzi e gli antichi furono abbelliti e rimaneggiati. Le 'nuove' residenze contornano il Canal Grande, di cui le immagini riproducono due scorci.

ALVISE PISANI (1735-1741) ottenne la dignità di cavaliere quale diplomatico alla corte del re Sole, **LUIGI XIV**, il quale lo comprendeva nel novero dei suoi amici, e in generale fu così abile nei maneggi della politica internazionale che si disse che assieme a lui viaggiava la maestà del Senato veneto. I festeggiamenti per sottolineare la sua elezione alla massima carica furono così splendidi che su di lui si scrisse:

El primo dei Pisani alfin xe dose
La desditta una volta xe finia
El tempo xe vegnù de buttar via
L'oro e l'argento come tante nose.

Il suo tenore di vita fu così dispendioso che la corte fu paragonata a quella di un sovrano più che a quella di un doge.

«Se c'è uno Stato che abbia bisogno di concordia siamo noi»

Il doge Marco Foscarini.

Uomo colto e brillante, il successore di Alvise Pisani conosceva alla perfezione il latino e il francese, tanto che, quando era ambasciatore a Londra, parlò in latino di scienze e fu onorato del titolo di socio dall'allora presidente della locale Accademia, **ISAAC NEWTON**. Appassionato di astronomia e di poesia (fu poeta d'Arcadia), **PIETRO GRIMANI** (1741-1752) ottenne grande considerazione presso la corte asburgica e strinse amichevoli rapporti con il principe **EUGENIO DI SAVOIA**. La sua elezione a doge ottenne invece tiepidi consensi presso il popolo, che a lui guardava con un certo sospetto, memore forse dello sperpero dei predecessori con cui condivideva il cognome. Alla sua iniziativa la città dovette la prima illuminazione: il doge, di ritorno da un viaggio a Vienna, volle imitare il modello ammirato in Austria.

Un'idea precisa dello sfarzo che contrassegnò il dogado del suo successore, **FRANCESCO LOREDAN** (1752-1762), ci viene dall'elenco pervenutoci degli abiti del suo guardaroba: roba fina e da gran signore. Conferma di ciò è l'inventario dei mobili che arredavano le numerose stanze del Palazzo Ducale.

L'ala orientale rinascimentale che profila il cortile interno di Palazzo Ducale. Nel Settecento la residenza si arricchì di nuovi arredi e di preziose suppellettili.

MARCO FOSCARINI (1762-1763) ebbe a tale punto fama di avaro che, in una prosa satirica *post mortem*, il traghettatore Caronte rifiuta di caricarlo sulla sua barca per mancato pagamento del pedaggio, mentre **PISANA CORNER**, la dogaressa moglie di **ALVISE IV MOCENIGO** (1763-1778), si presentò all'incoronazione del marito con un manto d'oro trapuntato di diamanti e uno splendido brillante al dito. A quei tempi il doge e la sua famiglia avevano a disposizione ben diciannove stanze del Palazzo Ducale, tutte sontuosamente arredate e tappezzate di damaschi e velluti preziosi.

All'epoca del governo del penultimo doge di Venezia, **PAOLO RENIER** (1779-1789), che il secondo matrimonio con una ballerina, **GIOVANNA MARGHERITA DALMET**, rese celebre nelle chiacchiere della povera gente, fu iniziata la colossale costruzione dei **Murazzi**, un'enorme diga che doveva proteggere la città dal mare. Paolo Renier, noto per le brillanti capacità oratorie, è l'ultima delle forti personalità politiche che guidarono la Repubblica della laguna. Se fosse vissuto fino al 1797, osservò il Tommaseo, il dogado avrebbe forse conosciuto una fine più onorevole. Morì invece nel 1789 nella piena consapevolezza delle drammatiche condizioni in cui ormai la sua città versava, tanto che ebbe a osservare: «Se c'è uno Stato che abbia bisogno di concordia siamo noi, che non abbiamo forze né terrestri, né marittime, né alleanze, che viviamo a sorte per accidente e viviamo nella sola idea della prudenza del governo della Repubblica veneziana».

L'ultimo doge: Lodovico Manin

Oggi museo del Settecento veneziano, Ca' Rezzonico nel 1769 fu scelta per ospitare le celebrazioni che accompagnarono la visita ufficiale dell'imperatore asburgico Giuseppe II. La residenza era di proprietà di una famiglia di origine comasca, iscritta nell'aristocrazia cittadina ai tempi della guerra di Creta.

Il rapido e per certi aspetti imprevedibile sviluppo della **rivoluzione francese**, scoppiata nel luglio del 1789, ebbe come conseguenza la coalizione delle forze europee, desiderose di salvare l'istituto della monarchia e preoccupate dell'inaspettata ascesa della borghesia. Nel 1795 il Direttorio affidò al giovane generale **NAPOLEONE BONAPARTE** l'incarico di sfidare l'Austria in uno dei suoi possedimenti vitali, l'Italia settentrionale. Qui la facile conquista del PIEMONTE e della LOMBARDIA trasformarono quella spedizione militare in un trionfo. Firmata la **pace di Cherasco**, Napoleone entrò poi trionfalmente in Milano e conquistò la roccaforte di MANTOVA; portò quindi il suo attacco alle città del VENETO e del FRIULI. La tradizionale neutralità veneziana fu in questo modo calpestata e, agli occhi del Francese, la conquista di Venezia cominciò ad apparire come un'importante merce di scambio nelle trattative che di lì a poco avrebbe avviato con l'AUSTRIA.

L'ultimo signore di Venezia fu **LODOVICO MANIN** (1789-1797). Divenne doge perché apparteneva a una delle famiglie veneziane più in vista per censo e disponibilità economiche e per la brillante carriera pubblica che in pochi anni l'aveva portato a ricoprire incarichi di prestigio. ***La sua indole era schiva e non sufficientemente energica***, e ciò lo rendeva poco simpatico al popolo. Forse per questo, per assicurarsi una popolarità non scontata, le feste celebrate in occasione della sua elezione furono le più splendide fra quante fino a qui si erano viste, così come generose furono le ricompense elargite agli elettori dopo (e, secondo alcuni, anche prima) il verdetto. Si racconta che la notizia dell'incoronazione lo prostrò a tale punto che quasi perse i sensi per la preoccupazione.

Che il Manin fosse consapevole della possibilità di un destino tragico e per questo si adoperasse per promuovere la riforma politica è noto. Il 30 aprile del 1797, quando fu annunciata in città l'imminenza di un attacco francese, si limitò tuttavia a osservare: «Sta notte non semo sicuri neanche nel nostro letto». Ma ancor più timido fu il suo intervento alle sedute del 1° e del 4 maggio, quando comunicò che per primo, deposte le insegne ducali, si sareb-

Ritratto di Lodovico Manin.

be allontanato dal suo palazzo e avrebbe consegnato nelle mani dei capi della rivoluzione le redini del governo e che «lo stesso passo avrebbe convenuto farsi dai procuratori tutti di San Marco come dignità perpetua della Repubblica».
Il **12 maggio 1797**, il Maggior Consiglio si riunì per l'ultima volta e a stragrande maggioranza votò il decreto con cui abdicava alla propria sovranità. Venezia si sarebbe trasformata in una Repubblica democratica e il governo della città sarebbe stato affidato a una **municipalità** composta di elementi simpatizzanti con i Francesi. Se non altro l'ultimo doge di Venezia rifiutò l'umiliazione di entrare a fare parte della municipalità e rimase al suo posto fino all'ultimo: lasciò il Palazzo Ducale proprio nel momento in cui i Francesi facevano il loro ingresso trionfale in città e una sollevazione popolare dichiarava loro l'appoggio delle classi inferiori.

A pochi mesi di distanza da quello storico evento (da quindici secoli truppe straniere non invadevano la laguna), il 17 ottobre del 1797 Napoleone siglava con l'Austria il **trattato di Campoformio**, in virtù del quale riconosceva allo Stato rivale la cessione di tutte le conquiste

Sopra: *villa Manin a Passariano.*
A fianco: *la stanza che ospitò Napoleone Bonaparte.*

venete. Ai primi di gennaio del nuovo anno i Francesi devastarono l'Arsenale, vi prelevarono il bucintoro, simbolo odiato dell'antico regime, lo fecero a pezzi e lo bruciarono in un memorabile falò (*vedi* p. 15). Il 18 dello stesso mese le truppe occupanti lasciarono la città dove, in virtù degli accordi sottoscritti, subentrarono i nuovi dominatori, gli Austriaci. Lodovico Manin dovette giurare fedeltà all'imperatore insieme con altri patrizi. Trascorse il resto della sua sfortunata esistenza tra il compianto di chi rimpiangeva il passato e l'offesa di quelli che gli rimproveravano di avere rinunciato troppo facilmente a un tentativo di difesa della patria. Pagò senza dubbio gli errori dei predecessori che, in nome di una magnificenza di facciata, sacrificarono l'iniziativa politica e bloccarono sul nascere la stagione delle riforme. Non fu un uomo coraggioso, ma gli si deve riconoscere il merito di avere rifiutato qualsiasi compromesso con gli invasori. Morì il 24 ottobre del 1802, ossessionato dall'idea che il suo nome sarebbe stato per sempre ricordato come quello dell'ultimo rappresentante di una Repubblica gloriosa, ma ormai finita.

Sopra: *una pagina dello storico trattato di Campoformio, che decretò la cessione all'Austria, del Veneto, dell'Istria e della Dalmazia. Come molti altri, Ugo Foscolo denunciò il tradimento francese e scelse l'esilio.*

A fianco: *in piazza San Marco, la residenza reale, fissata da Napoleone a Venezia ai tempi del Regno d'Italia, ospita oggi il Museo Correr.*

Cronologia

Orso Ipato	(726-737)
(*Interregnum*)	(737-742)
Teodato Ipato	(742-755)
Galla Gaulo	(755-756)
Domenico Monegario	(756-764)
Maurizio Galbaio	(764-775)
Giovanni Galbaio	(775-804)
Obelario degli Antenori	(804-811)
Agnello Participazio	(811-827)
Giustiniano Participazio	(827-829)
Giovanni Participazio I	(829-836)
Pietro Tradonico	(836-864)
Orso Participazio I	(864-881)
Giovanni Participazio II	(881-887)
Pietro Candiano I	(887)
Pietro Tribuno	(888-912)
Orso Participazio II	(912-932)
Pietro Candiano II	(932-939)
Pietro Participazio	(939-942)
Pietro Candiano III	(942-959)
Pietro Candiano IV	(959-976)
Pietro Orseolo I	(976-978)
Vitale Candiano	(978-979)
Tribuno Memmo	(979-991)
Pietro Orseolo II	(991-1008)
Otto Orseolo	(1008-1026)
Pietro Centranico	(1026-1032)
Domenico Flabanico	(1032-1043)
Domenico Contarini	(1043-1071)
Domenico Selvo	(1071-1084)
Vitale Falier	(1084-1096)
Vitale Michiel I	(1096-1102)
Ordelafo Falier	(1102-1118)
Domenico Michiel	(1118-1130)
Pietro Polani	(1130-1148)
Domenico Morosini	(1148-1156)
Vitale Michiel II	(1156-1172)
Sebastiano Ziani	(1172-1178)

Orio Mastropiero	(1178-1192)
Enrico Dandolo	(1192-1205)
Pietro Aiani	(1205-1229)
Giacomo Tiepolo	(1229-1249)
Marino Morosini	(1249-1253)
Renier Zeno	(1253-1268)
Lorenzo Tiepolo	(1268-1275)
Jacopo Contarini	(1275-1280)
Giovanni Dandolo	(1280-1289)
Pietro Gradenigo	(1289-1311)
Marino Zorzi	(1311-1312)
Giovanni Soranzo	(1312-1328)
Francesco Dandolo	(1329-1339)
Bartolomeo Gradenigo	(1339-1342)
Andrea Dandolo	(1343-1354)
Marino Falier	(1354-1355)
Giovanni Gradenigo	(1355-1356)
Giovanni Dolfin	(1356-1361)
Lorenzo Celsi	(1361-1365)
Marco Corner	(1365-1368)
Andrea Contarini	(1368-1382)
Michele Morosini	(1382)
Antonio Venier	(1382-1400)
Michele Steno	(1400-1413)
Tommaso Mocenigo	(1414-1423)
Francesco Foscari	(1423-1457)
Pasquale Malipiero	(1457-1462)
Cristoforo Moro	(1462-1471)
Niccolò Tron	(1471-1473)
Nicolò Marcello	(1473-1474)
Pietro Mocenigo	(1474-1476)
Andrea Vendramin	(1476-1478)
Giovanni Mocenigo	(1478-1485)
Marco Barbarigo	(1485-1486)
Agostino Barbarigo	(1486-1501)
Leonardo Loredan	(1501-1521)
Antonio Grimani	(1521-1523)
Andrea Gritti	(1523-1538)
Pietro Lando	(1539-1545)
Francesco Donà	(1545-1553)

Marcantonio Trevisan	(1553-1554)
Francesco Venier	(1554-1556)
Lorenzo Priuli	(1556-1559)
Girolamo Priuli	(1559-1567)
Pietro Loredan	(1567-1570)
Alvise Mocenigo I	(1570-1577)
Sebastiano Venier	(1577-1578)
Nicolò da Ponte	(1578-1585)
Pasquale Cicogna	(1585-1595)
Marino Germani	(1595-1605)
Leonardo Donà	(1606-1612)
Marcantonio Memmo	(1612-1615)
Giovanni Bembo	(1615-1618)
Niccolò Donà	(1618)
Antonio Priuli	(1618-1623)
Francesco Contarini	(1623-1624)
Giovanni Corner I	(1625-1629)
Niccolò Contarini	(1630-1631)
Francesco Erizzo	(1631-1646)
Francesco Molin	(1646-1655)
Carlo Contarini	(1655-1656)
Francesco Corner	(1656)
Bertucci Valier	(1656-1658)
Giovanni Pesaro	(1658-1659)
Domenico Contarini	(1659-1675)
Nicolò Sagredo	(1675-1676)
Alvise Contarini	(1676-1684)
Marcantonio Giustinian	(1684-1688)
Francesco Morosini	(1688-1694)
Silvestro Valier	(1694-1700)
Alvise Mocenigo II	(1700-1709)
Giovanni Corner II	(1709-1722)
Alvise Mocenigo III	(1722-1732)
Carlo Ruzzini	(1732-1735)
Alvise Pisani	(1735-1741)
Pietro Grimani	(1741-1752)
Francesco Loredan	(1752-1762)
Marco Foscarini	(1762-1763)
Alvise Mocenigo IV	(1763-1778)
Paolo Renier	(1779-1789)
Lodovico Manin	(1789-1797)

Bibliografia

A. da Mosto *I dogi di Venezia*, Giunti Martello, Firenze, 1977

G. Cracco *Un altro mondo. Venezia nel Medioevo dal secolo XI al secolo XIV*, Utet, Torino, 1986

Il Museo Correr di Venezia, Electa, Milano, 1997

Il Palazzo Ducale di Venezia, Electa, Milano, 1997

F.C. Lane *Storia di Venezia*, Einaudi, Torino, 1978

F.C. Lane *I mercanti di Venezia*, Einaudi, Torino, 1996

A. Loredan *I Dandolo*, Dall'Oglio, Varese, 1981

Y. Renouard *Gli uomini d'affari italiani del Medioevo*, Rizzoli, Milano, 1973

AAVV *Storia di Venezia dalle origini alla caduta della Serenissima*, Istituto dell'Enciclopedia italiana G. Treccani, Roma, 1997

M. Villani *Cronica*, Guanda, Parma, 1995

A. Zysberg, R. Burlet *Venezia. La Serenissima e il mare*, Electa Gallimard, Milano, 1995

Indice

Finito di stampare nel mese di settembre 1999
presso Giunti Industrie Grafiche S.p.A.
Stabilimento di Prato